Якщо вам здається, що з вином усе дуже складно, – ця книжка саме для вас. Альдо пише про вино зрозуміло й анітрохи не нудно.

Мадлен Пакетт
співзасновниця Wine Folly

Вечеря у Le Bernardin завжди лишає незабутні враження завдяки глибокій обізнаності Альдо і його природному шарму! Всі ми побоюємося сказати щось не так чи вибрати не те вино, але Wine Simple допоможе кожному замовляти з винної карти упевнено, як сомельє світового класу.

Кріссі Тіґен
модель, телеведуча, письменниця і блогерка

Пити вино з Альдо надзвичайно приємно. Будучи славетним сомельє, він допомагає вивчати вина і прислухатися до них, відчуваючи при цьому радість і зацікавлення. Жодної напруги. Ця книжка пробудить у вас цілковито новий смак до вина.

Хосе Андрес
шеф-кухар і власник ThinkFoodGroup

Кожен, хто ..... це суцільне .... та хитросплетіння тонкощів, має прочитати цю книжку! Альдо вдається прочинити двері в цей дивосвіт менш ніж за триста сторінок. Кмітливо, весело та дуже пізнавально. Чудовий настільний посібник для початківця від живої легенди нашого ремесла. На книжці Wine Simple виросте не одне покоління поціновувачів вина.

Паскалін Лепельтьє
Master Sommelier та керуюча партнерка, Racines NY

Це, безперечно, найкращий вступ до науки про вино, що я бачив. Якби ж я мав таку книжку, коли починав свій шлях винолюба. Альдо пояснює захопливо й цікаво, як чудовий учитель, укотре підтверджуючи свій заслужений титул Найкращого сомельє світу.

Джей МакІнерні
письменник

Wine
Simple

Цілком зрозумілий путівник
світом вина

Wine Simple

про вино від сомельє світового класу

Альдо Сом

і Крістін Мюльке

CLARKSON POTTER / PUBLISHERS

New York

УДК 663.2/34.8=111(0.062+035)
С61

Перекладено за виданням:
Wine simple: a totally approachable guide from a world-class sommelier by Aldo Sohm with Christine Muhlke.
New York : Clarkson Potter/Publishers, 2019. ISBN 9781984824264
Copyright © 2019 by Aldo Sohm, Inc. Illustrations copyright © 2019 by Matt Blease. All rights reserved.

This translation published by arrangement with Clarkson Potter/Publishers, an imprint of Random House, a division of Penguin Random House LLCand with Synopsis Literary Agency.

Переклала з англійської Ольга Розумна

Сом, Альдо
С61   Wine Simple: про вино від сомельє світового класу / Альдо Сом і Крістін Мюльке; пер. з англ. Ольга Розумна. – Київ: Yakaboo Publishing, 2021. – 272 с. : іл.

ISBN 978-617-7544-82-0

Видання здійснене за ініціативи та підтримки Wine Bureau.

Науково-популярне видання

Перекладачка – Ольга Розумна
Редактор – Оксана Батюк
Літературний редактор – Іван Борисюк
Профільна консультантка – Вікторія Ковальчук
Коректорка – Алла Кравченко
Верстальниця – Наталія Коваль
Технічний редактор – Володимир Гавриш
Відповідальні за випуск – Като Деспаті, Світлана Андрющенко

Підписано до друку: 12.02.2020 р., Формат: 84×108/16, Цифрові шрифти: KyivType Sans, Casus Pro, Друк: офсетний, Зам. № 522/02

Видавець: ТОВ «Якабу Паблішинг»
Свідоцтво суб'єкта видавничої справи
ДК №5243 від 08.11.2016
04073, м. Київ, вул. Кирилівська, 160, літ. Ю
Адреса для листування: 04070, м. Київ, а/с 88
www.yakaboo.ua

Віддруковано ПП «Юнісофт»
Свідоцтво суб'єкта видавничої справи
ДК № 3461 від 14.04.2009
61036, Україна, м. Харків, вул. Морозова, 13б
тел.: +38 (057) 730-17-13
www.unisoft.ua

Наші книги ви можете знайти тут:

«Книгарня бестселерів Yakaboo»:
м. Київ, вул. Хрещатик, 22,
1 поверх (Головпоштамт)

Yakaboo.ua

ISBN 978-617-7544-82-0 (укр.)
ISBN 978-1-9848-2426-4 (англ.)

© 2019 Aldo Sohm, Inc.
© 2019 Matt Blease, ілюстрації
© 2019 Alaina Sullivan, дизайн
© 2021 Yakaboo Publishing,
    видання українською мовою

для допитливого винолюба

ЗМІСТ

ВСТУП

▶▶▶ П'ять днів на тиждень, коли настає час обіду чи вечері, мене можна знайти в перебіжках між Le Bernardin та Aldo Sohm Wine Bar. Відстань між ними – лише сорок кроків, водночас різниця між цими двома закладами колосальна: у чотиризірковому нью-йоркському ресторані Le Bernardin ви обираєте з 900 найменувань вина та меню на 40 сторінках, де ціни сягають п'ятизначних чисел. У винному барі, де зручно прилаштуватися на високих стільцях або на диванах, вибір набагато вужчий, а ціна за келих – від 11 доларів. Проте, можливо, між ними не така й велика різниця – в обох місцях мене постійно запитують те саме: що замовити до моєї страви? Що варто скуштувати, якщо зазвичай я п'ю Х? Чи можна знайти високу якість у моєму ціновому діапазоні? В обох закладах трапляються новачки та досвідчені поціновувачі вина. Моє завдання полягає в тому, щоб допомогти їм знайти ідеальний напій. Але без їхньої участі це неможливо.

Молоді клієнти, які відкладали гроші на трапезу в Le Bernardin, можуть трохи нервуватися, що викажуть чоловікові з дивним срібним блюдечком на шийному ланцюжку свою слабку обізнаність у вині, але вони розкриваються, дозволяючи собі потік запитань. Я люблю цю цікавість – у ній вся суть поціновування вина. І, чесно кажучи, без цих запитань неможливо допомогти клієнту знайти ідеальне вино. Я хотів написати книжку, яка не лише вчить людей азів вина, а й дає їм інструменти, необхідні для пізнання їхнього смаку (що їм подобається і не подобається), та словниковий запас, який допоможе описати це, щоб вони могли зайти до ресторану, винного бару чи магазину й вибрати ту пляшку чи келих, що їх порадують.

Справді, у винолюбстві є щось снобське та безліч слів і деталей для запам'ятовування. Але це не повинно відлякувати. Вам просто потрібно знати кілька понять і трохи географію, щоб опинитися на правильному шляху. Може, вас підбадьорить те, що навіть я не дізнаюся всього, що можна знати про вино. На щастя, єдиний спосіб учитися (окрім досліджувати з усією пристрастю) – це робити помилки. Тож нумо пити!

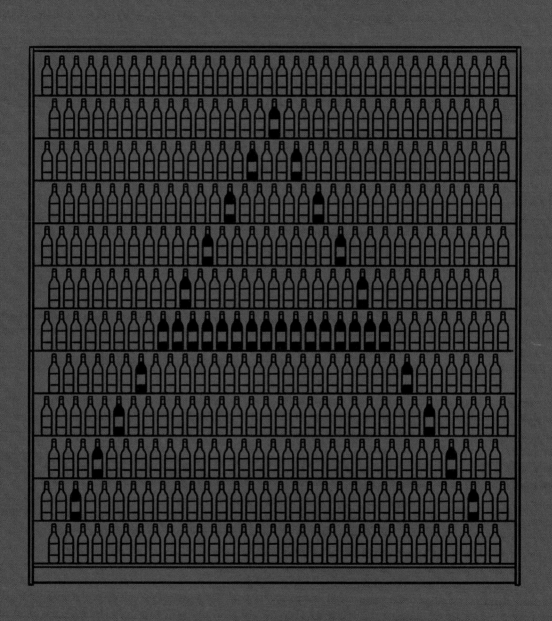

Про Альдо

(Як австрійське дитя, що ненавиділо вино, зробило кар'єру винного директора нью-йоркського ресторану з трьома зірками Мішлен)

▶▶▶ Як я став винним директором Le Bernardin, для мене (і моїх батьків) і досі загадка. Але, як я дізнався з роками, життя сповнене дивовижних поворотів, коли ти відкритий до викликів та пригод – і, звичайно, до великих обсягів важкої роботи. На щастя для мене, вино гарантує безперервну подорож, яка приносить знання та задоволення: я завжди радо навчатимусь, із кожним новим магічним ковтком.

Підлітком з австрійського Інсбрука я хотів бути шеф-кухарем: тато мого друга куховарив на круїзному судні, і мене захоплював той дух свободи. Я вступив до коледжу туризму, щоб навчатися в шеф-кухаря світового класу, але всі ці крики на кухні надто обтяжували мене. Останні два тижні мого літнього стажування в ресторані бракувало персоналу, тому мене поставили офіціантом. Я був у раю. Навіть шеф-кухар сказав: «Боже мій! Якби ж ми знали раніше, усім працювалося б краще!»

Коли мені було дев'ятнадцять, моїм першим місцем роботи став готель у віддаленій австрійській долині Ецталь. Я був щасливий, заробляючи власні гроші й маючи час у вихідні

кататися на гірських велосипедах. Аж на своїй третій роботі – висококласному курорті, де я працював на сніданках, обідах та вечерях, – ідея кар'єри у сфері вина, можна сказати, явилася мені. Там відпочивала пара швейцарців, які так захоплювались їжею та вином, що вже за сніданком говорили про те, що вони їли б на вечерю. Досі не бачив нічого подібного! Одного разу вони запитали мене, що їм слід замовити до страви. Я поняття не мав! Тож купив кілька книжок про вино й читав, наскільки в мене виходило між роботою. Можна було щось їм наплести, але мені було цікаво, що ж їх так запалювало.

Те саме запалило пристрасть і в мене. Важко було повірити, скільки потрібно знати про вино. Регіони та сорти винограду здавалися нескінченними. Виноробство виявилося мистецтвом, ще й з давньою історією. Усі мої колеги хотіли тусити під час перерв, але я відмовлявся: «Ні, ні, ні. Я мушу дочитати цю книжку перед вечерею!». Десь тоді ж мій батько, що вихідними був не проти келиха вина з Австрії чи Італії, брав мене з собою його купувати. Я вивчав вино, мов божевільний, і збирав гроші на пляшку Дармаджі 1983 року Анджело Ґая. То були пекельно великі гроші – близько 400 доларів, як на сьогодні, – але це все, чого я тоді прагнув. Я був під чарами великого вина.

Потім, до 1992 року, коли мене винайняли на п'ятизірковий курорт, я робив спецзамовлення книжок, нотував та порівнював дані. Хоча гості замовляли пляшки за ціною від 20 до 50 доларів, я почав більше читати про класичні базові вина. Невдовзі, під час дегустацій – упізнавати таніни, алкоголь, відчувати фрукти з першого ковтка. Потім – після роботи – відвідувати дегустації разом з товаришами, що працювали в інших ресторанах. Іноді ми годину їхали до склозаводу Рідель, щоб продегустувати вино з унікальних моделей келихів, дивуючись тому, як форма келиха для бургундських підсилює фруктовість цих вин. Я заощаджував і купив чимало наборів келихів середньої ціни.

У свої двадцять я наполегливо працював, щоб улаштуватися на роботу в готель Arlberg Hospiz із легендарною винною програмою. Це місце було відоме тим, що мало один з найбільших погребів для пляшок великого формату, особливо бордо, – вісімнадцятилітрові пляшки Шато Марґо, шестилітрові пляшки Шато Палмер 1924 року, щоб ви розуміли. Там я працював зі своїм наставником Аді Вернером, а також подружився з майстром льоху Гельмутом Йорґом. Я попросив допустити мене на дегустації, які він проводив для клієнтів. Він дозволив, з умовою дотримуватися розкладу. Я не пропустив жодної. Ми куштували вина не лише з Австрії та сусідньої Північної Італії, а й з глибинки Франції, з Америки – з усього світу. (Мені завжди здавалося, що все іноземне цікавіше.) Мої друзі не могли повірити, що я витрачаю на це весь свій вільний час і навіть не отримую грошей. Але що глибше я пізнавав, то більше захоплювався.

Улітку батько послав мене до Флоренції вивчати італійську: він вважав, що сомельє повинні володіти принаймні однією іноземною мовою. Я пообіцяв собі скуштувати вина в кожнім селищі в К'янті. Там я вперше розрізнив відмінності в теруарі – ґрунті, на якому ріс виноград, – і до серпня міг із зав'язаними очима сказати, з якого села те чи те вино.

Після того літа в Італії минуло п'ять років, я пішов здобувати диплом сомельє, і це були два суворі роки. На другий рік прийшов новий професор на ім'я Норберт Вальднігґ – і навчання пішло бадьоріше. Виявляється, він був кандидатом від Австрії на статус найкращого у світі сомельє, і коли Вальднігґ шукав гідів-волонтерів для заходу у Відні, моя рука піднялася. Мене самого трусило в тій атмосфері стресу й хвилювання, де кожен кандидат годину чи дві випробовувався перед величезною аудиторією, телевізійними камерами та журналістами. Через рік, 1999-го, я отримав сертифікат, і професор захотів, щоб я наступного року став австрійським кандидатом на національний чемпіонат. Та ви що! Але його команда тренувала мене, анкетувала, проводила через сліпі дегустації вин та лікеро-горілчаних виробів у чорних келихах, що приховували колір, вимірювала мої швидкість і навички декантингу, опитувала щодо описів вин і т. ін. Вони навіть працювали над моєю мовою тіла. Я посів друге місце, але переможця дискваліфікували. Тоді я вже зловив хвилю і зажадав поїхати на чемпіонат Європи.

Минуло ще багато років тренувань і змагань, коли доводилось відмовлятися від кіно чи вечері з друзями, та врешті-решт 2002 року я виграв чемпіонат Австрії, а потім ще раз у 2003-му, і в 4-му й 6-му. Я зрозумів, що всі найкращі сомельє змагаються англійською мовою, тому хотів поїхати вчитися в Америку. Я зробив те, що робив кожен австрійський сомельє, – написав до Вольфґанґа Пака. Але він так і не відписав. Не можу його звинуватити: нині я щодня отримую запити від австрійських сомельє, які вважають, що Нью-Йорк – це лише «Секс і місто». Та 2004 року мій наставник повідомив, що знає в Нью-Йорку австрійського шеф-кухаря, який шукає собі сомельє.

Коли я вперше зустрів Курта Ґутенбруннера в його ресторані Wallsé, він сказав, що я з'їхав з глузду. В Австрії моя кар'єра була в розквіті, а справам ніщо не загрожувало. (Я працював викладачем у туристичному коледжі, а також готував до змагань студентів, включно з переможцем конкурсу «Найкращий молодий сомельє Австрії», що для мене самого було найбільшою перемогою.) Як я все це покинув? На що я відповів, що в житті нема нічого застрахованого. Мені в тридцять три було нудно, і я не міг уявити, що так триватиме до шістдесяти. Курт найняв мене на те місце.

Мій літак сів у Нью-Йорку 4 липня 2004 року. Я ніколи раніше не бачив ні щура, ні тим більше таргана. Я винайняв першу-ліпшу квартиру у Вільямсберзі, у Бруклині. Кухня була такою брудною, що я мусив платити хлопцеві з ресторану, щоб допоміг прибрати. На це в нас пішов тиждень!

За допомогою чудових тренерів я у 2007 році виграв конкурс «Найкращий сомельє Америки». Через кілька тижнів мені зателефонували з Le Bernardin, одного з найпрестижніших ресторанів Нью-Йорка. Я був у захваті від можливості працювати з таким блискучим шеф-кухарем, як Ерік Ріперт, відповідати на виклики його складних соусів, що ламали усі шаблони, і мати змогу вчитися в Маґі Ле Коз, яка керує рестораном з моменту його відкриття 1986 року. Завжди жартую, що Мішлен створив свої стандарти для тризіркових ресторанів з огляду на життя Маґі!

У 2008 році в США мене кваліфікували для участі в змаганні найкращих сомельє світу, але я не подав заявки з особистих причин. За вісім тижнів до події потенційний переможець відмовився від участі. Ендрю Белл, президент американської асоціації, запитав мене, чи я все-таки візьму участь. Я сказав «так» — і переміг. Це було вартим усіх виснажливих тренувань.

З ідеєю відкрити Aldo Sohm Wine Bar Ерік та Маґі прийшли до мене 2013 року. Я ніколи не думав про те, щоб називати заклад власним ім'ям. Насамперед тому, що вважаю його ознакою слабкості. Чого б я давав своє ім'я закладу, надто коли назва Le Bernardin так добре відома? Та й у ресторан жителі Нью-Йорка йдуть поїсти, а не тому, що він має чудову винну карту. Але тоді я задумався: більшість винних барів відкривають сомельє, спільно з су-шефом з останньої роботи, копіюючи попередній заклад. Однак мені не треба було цього робити: у мене був оригінал! До того ж я мав найкраще з обох світів: доступ до неймовірних вин, а також поціновувачів серед клієнтів Le Bernardin,

плюс можливість представляти менших виноробів з регіонів, що розвиваються. Я міг продавати і старовинне бургундське, а хтось пив би в мене канарське вино за 11 доларів за келих… Ми відкрилися 2014 року.

Це був неймовірний досвід, і запитання, які я чув, працюючи у винному барі, зумовили появу цієї книжки. Я хотів написати щось таке ж веселе й доступне, як те, що ми там створили. Сомельє може відлякувати й часом бути пихатим. Але ця книжка не така!

Щоб вона побачила світ, я працював у співавторстві з Крістін Мюльке. За більш ніж десятиліття нашого знайомства в Le Bernardin, протягом якого з-під її пера вийшло «На зв'язку» з Еріком Ріпертом, я довідався, що вона добре знається на кухні та по-справжньому допитлива й відкрита до вина — передусім до того, скільки ще треба вчитися. (Хоча ми з нею можемо не погоджуватися щодо «натуральних» вин, які вона любить, і працюємо над пошуком золотої середини, радіючи кожній нагоді подражнити одне одного з цього приводу.)

З Крістін хотілося співпрацювати ще й тому, що вона багато в чому схожа на тих, для кого ця книжка призначена, — на людей, які люблять їжу й хочуть глибше розуміти вино (але їх лякає мова сомельє чи віднаджує те, що Крістін називає «сомельєсплейнінг у бро-стилі»), однак не мають часу на відповідне навчання. А з огляду на те, що вона завзята міська велосипедистка (у Нью-Йорку!), я знав, що Крістін достатньо божевільна, щоб узятися за такий проєкт.

Я так і не дізнався імен тієї швейцарської пари, яка багато років тому підштовхнула мене на цей шлях, але хотів би їй подякувати. Також сподіваюся, що моя книжка пробудить пристрасть до вина й у вас.

■ **сомельєсплейнінг**
Зверхнє і не конче доцільне пояснення від сомельє. — Прим. ред.

Чому нам потрібна ще одна книжка про вино?

(І чому — саме від сомельє?)

▶▶▶ **Тому що так багато книжок (деякі з моїх улюблених ви знайдете на сторінці 242) написали професіонали для професіоналів.** Їхня мова може відлякати того, хто тільки починає вчитися. Я ж пишу не для своїх колег чи досвідчених колекціонерів. Я роблю це для тих із вас, хто хотів би знати, що таке Бургундія і де її шукати. Хочу навчити вас упевнено формувати власну думку про вина. Коли ви дочитаєте цю книжку, то зможете поглянути на винну карту очима, широко розплющеними від захоплення і розуміння розмаху можливостей, а не від страху.

На відміну від багатьох видатних авторів, що пишуть про вино й викликають мій захват, я не проводжу за столом цілий день, а набираю тексти між дегустаціями. Протягом останніх двадцяти п'яти років кожен мій робочий день минає в залі ресторану, де я підказую гостям найкращі напої до їхніх страв. Я відкоркував тисячі пляшок і слухав безліч запитань про сотні найменувань винної карти. Мені постійно кажуть, що відлякує чи розчаровує у вині, поки я намагаюся розговорити гостей, аби зрозуміти, що їм колись сподобалося, і вже з огляду на це підказати найкраще вино до певної страви. Саме цей практичний досвід дав мені унікальне бачення. Моє прагнення підказати, пояснити і догодити стало основою цієї книжки. Я хочу бути певен, що ви навчитеся обирати саме те вино, келихом якого будете задоволені, незалежно від того, в ресторані це чи у сумнівному винному магазині, куди ви заскочили на півдорозі, прямуючи на вечерю до друга.

Світ вина постійно розвивається, і мені важливо залишатися на гребені цих змін – надто коли йдеться про пошук прихованих (і доступних) цінностей. Я постійно шукаю нові назви, які можна додати до своєї карти. Зважаючи на економіку та світові ціни на вино у відповідний момент, я заглиблююся у пошуки в таких регіонах, як Португалія та Греція, де можна знайти хорошу пляшку за 20 доларів. Я з вами, щоб допомогти відкрити недооцінені альтернативи класиці.

Я також виробляю вино. Я зрозумів, що більше не зможу критикувати вино, не знаючи всієї складності його виготовлення. Тож я створив наш власний лейбл у партнерстві з Ґерхардом Крахером, відомим в Австрії виноробом. Цей проєкт неймовірного смирення навчив мене поважати кожну розлиту моєю рукою пляшку, а також ліпше розуміти процес виготовлення, чим я збираюся поділитися на цих сторінках.

Я хочу допомогти людям набути основних знань, якими вони керуватимуться в ресторанах і винних магазинах. Що ще важливіше, я хочу зробити людей відкритішими до нового. Мені пощастило працювати з міленіалами. Щодня я стаю свідком не лише того, наскільки добре і швидко вони знаходять у своїх смартфонах відповіді на будь-які запитання про вино. (Треба визнати, мій внутрішній двадцятип'ятирічний юнак, котрий мусив замовляти книжки поштою, трохи заздрить.) Я також відчуваю їхню незаангажованість та цікавість. Вони не вклякають перед знаменитостями, а справді відкриті до нового і шукають у вині, яке має свою історію, свіжості й віртуозності. Вони хочуть, бачити долоні винороба, в які в'їлася земля, а не дорогу пляшку, пов'язану з вишуканим замком. Коли я поцікавився, то не знайшов аж так багато книжок, які промовляють до цього покоління. Адже Google, хоч він і може миттєво відповісти на широкий спектр запитань про вино, не здатен навчити вас розвивати смак.

Вина постійно змінюються, популярними стають ті регіони й сорти, про які я ніколи не чув. Хоча кілька років тому вина з Юри могли здаватися різкими, нині ми бачимо приголомшливі пропозиції з Канарських островів в Іспанії, португальського Дуро та регіону Овернь, що у Франції, і це далеко не все. Постійно з'являються нові вина. Сподіваюся, ця книжка, оминаючи нудні й заплутані подробиці, дасть найнеобхідніші знання, щоб ви складали власну думку про вино; утім, що важливіше, – запалить цікавість довідатись більше.

І насамкінець, існує чимало міфів, які можуть з вина зробити нудний і відстрашливий предмет розмови. Моя мета – демістифікувати його для вас. Бо що насправді вино? – Насолода.

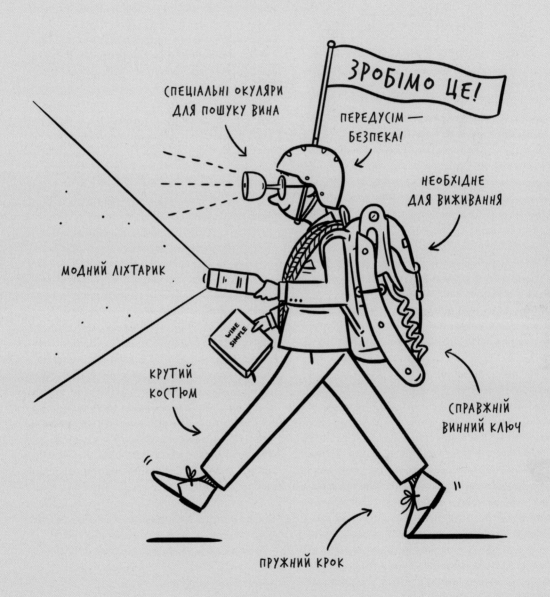

Як користуватися цією книжкою

▶▶▶ Замість написати підручник, я зібрав під однією обкладинкою найпростішу та найцікавішу інформацію – і вам варто прочитати цю книжку від початку до кінця! Використайте її, щоб зрозуміти основи, а потім повертайтеся назад і перечитайте вже після того, як склали власну думку, щоб збагнути, які місця в ній можуть бути для вас корисними.

Можливо, коли ви з'ясуєте, що любите легкі, ароматні білі вина, а не фруктові та повнотілі, як вважали раніше, вам вдасться відкрити на дегустаціях нові сорти. Потім, уже зрозумівши, що Ґрюнер Вельтлінер – ваш напій (я австрієць, тому тільки про це й мрію), можете погортати розділ «Вино і їжа» (с. 245), щоб з'ясувати, з чим подавати його вдома. Пізніше використовуйте книжку як довідник, коли, скажімо, ви готові випити вина на день народження (с. 167) або коли потрапили в Шампань (с. 40) і хочете скуштувати щось, окрім традиційного стилю екстра-брют.

Зачекайте, а звідки ви дізнаєтеся, що Ґрюнер – ваше улюблене? Тільки випивши чимало різних вин, ви відчуєте, що деякі вам просто подобаються, а перед іншими не зможете встояти. Книжки – це чудово, але досвід – найправдивіший учитель.

Тож нехай ці рядки стануть вашим посібником, з яким ви будете купувати вина, дегустувати їх і впевнено навчатися. На цих сторінках вам трапиться багато технічних термінів. Тлумачення вперше вживаного слова ви знайдете внизу сторінки, а також у глосарії на сторінці 262.

Найголовніше, насолоджуйтесь, не лякайтеся і будьте відкриті до нового. Це принципово! Ніколи не втрачайте запалу і пам'ятайте, що всього не знає жодна людина. Якось я запитав провідну світову винознавицю Дженсіс Робінсон MW про сорт винограду, і вона сказала: «Зачекайте хвилинку. Мені треба знайти інформацію». Я надзвичайно здивувався, а втім, це був чудовий урок: не соромно досліджувати – соромно не ставити запитань.

■ **MW (майстер вина)**
Абревіатура для майстра вина; високо цінована кваліфікація, що її надає Британський інститут майстрів вина (British Institute of Masters of Wine).

Винні правила Альдо

Куштуйте. Куштуйте. Куштуйте. Це єдиний спосіб навчитися!

Можна багато чого дізнатися, випивши пляшку чудового вина. Але **якщо вона вам не сподобалася, ви дізнаєтеся набагато більше.**

Будьте відкриті, допитливі та **не приховуйте свого ентузіазму.** Якщо люди, які продають вам вино, поводяться чванливо, вони потрапили не в той бізнес.

Завжди **запитуйте в того, хто вам допомагає, що його або її найбільше захоплює.** Так ви почуєте найкращі поради.

Висока вартість вина не означає високої якості. Багато вин, які я п'ю у вихідні, коштують менше 25 доларів.

Якщо ви відкоркували пляшку і вино не сподобалося вам одразу, **скуштуйте його ще раз через хвилин тридцять**, щоб відчути зміни смаку. Або навіть відставте пляшку на наступний день.

Не чекайте на особливий випадок, щоб відкоркувати особливу пляшку.

Хороший виробник має більше значення, ніж рік врожаю.

Головне завдання вина – об'єднувати нас.

Зрештою, коли йдеться про вино, **не існує жодних правил.**

1

Що ж таке вино?

Це культура. Це історія. Це – спосіб життя. Вино об'єднує різні країни та покоління.

■ **дикі (власні) дріжджі**
Дріжджі, які природно виникають у середовищі – виноградній шкірці чи повітрі.

■ **культурні дріжджі**
Комерційні дріжджі, які додають під час вироблення вина.

■ **сорт**
Вид винограду або вино, повністю зроблене з однойменного сорту винограду.

▶▶▶ Проте вино – це просто виноградний сік, що перебродив. (Або, якщо сформулювати точніше, це сік із розчавленого винограду, де цукри за допомогою <u>диких</u> або <u>культурних дріжджів</u> переброджують в алкоголь і вуглекислий газ.) Залежно від <u>сорту</u> та кольору, вино може бродити в дерев'яних бочках, цистернах з іржостійкого металу чи бетону, пластикових контейнерах або керамічних <u>амфорах</u>, закопаних у землю. Деякі вина відразу ж розливають у пляшки і продають молодими, а інші – спочатку залишають на певний час у посудинах для ферментації або зберігають у пляшках, перш ніж випустити у світ. Існують безкінечні варіації смаку, кольору та навіть консистенції.

Дозріваючи, виноград стає менш кислим, а його цукри – придатніші до ферментації, завдяки чому вино виходить насиченішим. У теплішому кліматі виноград солодший, а отже, має виразніший смак і потенційно вищий уміст алкоголю. У наш час винороби переміщаються у прохолодніші місцевості заради свіжішого й кислішого вина (не кажучи вже про нижчий рівень алкоголю), ніж у конкурентів із теплих країв.

■ **амфора**
Ці величезні глиняні посудини використовували з давніх часів. Їх наповнювали розчавленим виноградом зі шкірками, закопували в землю, закупорювали та залишали дозрівати.

Як роблять вино

▶▶▶ Вино – це ферментований виноградний сік. Це зрозуміло. Але на те, що опиниться у вашому келиху, впливають дуже багато чинників: коли і як зібрали (вручну чи механічно?) та вичавили виноград, додали в нього природні чи штучні дріжджі, щоб прискорити ферментацію, і як довго та в якій посудині вино зберігали до розливання у пляшки. Усе це (та чимало іншого) вирішують вино誰роби, чиє завдання полягає в перетворенні елементарного на щось монументальне. Винороби схожі на шеф-кухарів: вони так само починають з простих інгредієнтів, і готова страва повністю залежить від їхніх рішень (гаразд, іще природи).

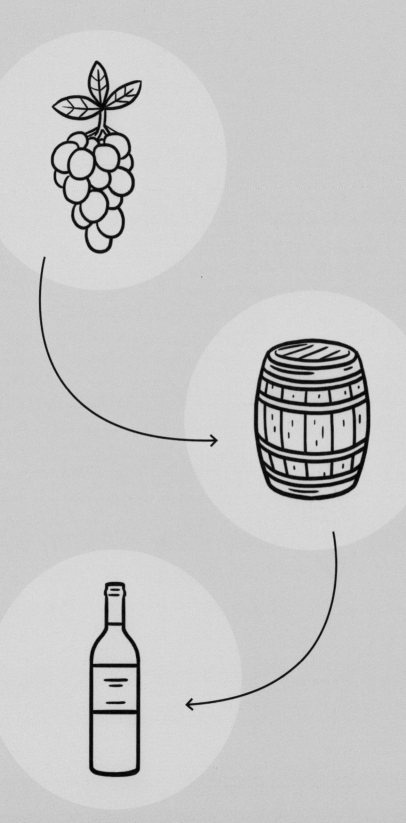

Роль природи

У створенні хорошого вина бере участь багато чинників.
Ось основні з тих, які стосуються вирощування.

◯ Клімат

Виноградні лози в цьому схожі на людей: вони люблять теплі дні та прохолодні ночі, яскраве – але не занадто! – сонце, і воду в потрібний момент. Смак винограду зі спекотного клімату набагато виразніший. У теплих краях ростуть стигліші та солодші ягоди, а що більше цукру – то вищий рівень алкоголю. Виноград із прохолодніших регіонів більш освіжний, і вина з нього виходять легші.

▣ Погода

Виноградники потребують дощу, але в правильний час. Зима й раннє літо – це ключові періоди в циклі зростання. Зливи в період збору врожаю можуть зробити виноград водянистим. А посухи? Будь-який мешканець Каліфорнії розповість вам, який це жах. А ще буває град, який може побити врожай і пошкодити лозу.

Звісно, зміна клімату теж має величезний вплив на світ вина. Хоч гарячіше літо нічого особливо не змінює в прохолодних регіонах, тепліша зима означає, що комахи-лозоїди не гинуть від холоду, а рослини можуть почати випускати паростки зарано. Зросла небезпека фатальних весняних заморозків. (Багато європейських регіонів зазнали величезних збитків у 2017 році, втративши від 90 до 100 відсотків урожаю. Уявіть, як це, коли у вас є лише одна можливість на рік з робити вино, тобто заробити гроші!)

▽ Робота з листям

На здоров'я лози впливає те, скільки листя на ній залишають протягом усього сезону зростання. Якщо зрізають забагато, виноград може згоріти на сонці. Можливо, ви коли-небудь пили вино, яке смакувало, як гіркий шоколад: це сталося через сонячний опік. Якщо ж залишати багато листя в дощове літо, то можна зіткнутися з проблемою грибка та гниття.

Люди вважають, що найважливіший чинник — сонце, проте насправді це спільна робота сонця, дощу та прохолодних ночей.

Роль винороба

У процесі виготовлення вина приймають чимало рішень, які впливають на кінцевий результат. Ось найголовніші з них.

△ Шапталізація

Залежно від державних законів щодо виробництва вина, деякі винороби шапталізують виноградне сусло, тобто збагачують його певною кількістю цукру. Здається, що це погано, але насправді ні. У прохолодніших регіонах, де у винограді менше природного цукру, цей процес піднімає рівень міцності у вині та додає йому щільності.

● Температура бродіння

Дріжджі дуже чутливі до температури. Що холодніше, то повільніше вони діють. Отож бродіння розтягується, що дає ягодам проявити всі свої особливості. Це яскраво відчувається у новозеландських Совіньйон Бланах, адже через холодну ферментацію вони часто смакують як жувальні цукерки. Занадто тепле бродіння – теж погано, бо швидкий процес заглушає аромати.

▢ Холодна мацерація (вимочування)

Часто застосовують у теплішому кліматі. Після збору виноград охолоджують, розчавлюють і залишають настоюватися разом зі шкірками у прохолодному приміщенні, щоб дріжджі не запустили бродіння. Це допомагає видобути зі шкірок колір, феноли й аромати. У результаті виходить набагато свіжіше й темніше вино.

◯ Бродіння цілими гронами

Назва пояснює сама себе: вино залишають бродити гронами замість того, щоб відділяти кожну ягоду. Зазвичай цю технологію застосовують до червоних вин, і переважно тільки частково – наприклад, у гронах залишають 25 % урожаю. У результаті таніни вина стають трохи жорсткішими, кислотність – більш вираженою, з'являється відчутна нотка вуглекислого газу, а також легкий рослинний аромат. Таніни виділяються з гребнів (важливо, щоб вони були

■ виноградне сусло
Свіжовичавлений виноградний сік.

■ феноли
Декілька сотень хімічних компонентів у вині, що впливають на все – від кольору до смаку й текстури, які ви відчуваєте.

достиглі, а не зелені) і додають вину трохи більше структури, що допомагає під час тривалої витримки. Цю технологію часто застосовують у виробництві вин Бургундії, Рони, Божоле, Каліфорнії та Австралії.

▢ Яблучно-молочне бродіння

Узагалі-то це не бродіння, а процес, коли чутлива до температури бактерія перетворює жорстку яблучну кислоту (вид кислоти, що її містять зелені яблука) на м'якшу молочну (яка буває в йогуртах). Для цього слід контролювати температуру, наскільки це можливо, а це непросто. Іноді після бродіння цистерну охолоджують, щоб зупинити процес. Або підігрівають бочку. Зазвичай цю техніку застосовують щодо Шардоне та більшості червоних вин. Її легше відчути в білих винах: завдяки молочній кислоті в них легкий вершковий аромат і менш терпкий смак.

▽ Довший контакт з осадом

Після того як вино переброди́ло, його переміщають на стелажі, щоб позбутись огидного <u>осаду</u>. Дозволяючи вину «настоятись» на мертвих клітинах дріжджів (тобто осаді) хоча б на кілька місяців довше, ви можете сильно змінити текстуру і складність вина. Молодий та енергійний австрійський виноб Йоганнес Гірш розливав вина по пляшках у квітні й вересні. Хоч це було те саме вино, вереснева партія, яка більше контактувала з осадом, завжди подобалася мені більше.

⬤ Посудина для дозрівання

Вибираючи дуб чи іржостійку сталь для свого вина, ви приймаєте важливе рішення. Вина, настояні в дубових бочках, мають м'якший смак. Іржостійка сталь додає різкості, а іноді – легку нотку вуглекислого газу, тому вино здається злегка шипучим. Зазвичай його виробляють <u>редуктивним</u> способом, адже метал не пропускає CO_2.

△ Очищення

Додавання бентоніту (вид глини), яєчних білків або й риб'ячого плавального міхура очищає вино від білків, що формуються в ньому, стабілізує його і робить менш каламутним. «Натуральні» виноби неоднозначно оцінюють цей метод, бо, як і антибіотики, він може відібрати й «хороші» елементи.

▢ Фільтрування

Як підказує назва, вино пропускають крізь фільтр. Якщо цього не зробити, воно може бути неоднорідним і каламутним або ж у ньому плаватиме осад. Саме це й очікують побачити у своєму келиху шанувальники «натурального» вина. Не думайте, що вино не фільтрують через лінощі: так воно може мати насиченіший смак.

⬤ Настоювання

Після розливання вина в пляшки аромат притупляється. Я це називаю «пляшковий шок». Виноби самі вирішують, як довго вино має настоюватись і відпочивати, перш ніж потрапити в продаж.

▪ **осад**
  Шар мертвих дріжджових клітин, які впали на дно посудини чи пляшки для бродіння.

▪ **редуктивність**
  Якщо простими словами, то це виноробна технологія, за якою зменшення випарів кисню під час бродіння створює аромат квашеної білої капусти, або навіть сірника чи сірки. Особливо популярна серед сомельє.

Посудини для вина

Цистерна

Контейнер, ємність для бродіння з іржостійкої сталі; також бувають пластикові. Нічого не додає до смаку й не змінює його.

Амфора

Старовинний глиняний глек для бродіння та настоювання, який запечатують і деколи закопують у землю. Амфора надає вину особливої текстури, яка може нагадувати комбучу, а також певної солоності. У Грузії тисячоліттями використовують зроблені з теракоти квеврі, які, на відміну від амфори, завжди закопують у землю.

Бочка

Традиційна посудина для настоювання вина; зазвичай з деревини чи іржостійкої сталі, що впливає на смак, як було описано в «Посудині для дозрівання» (с. 29) на попередній сторінці. Може мати будь-яку місткість – від 100 до 10 000 літрів.

Барило

Цю традиційну посудину для зберігання вина зазвичай виготовляють із дуба, що дає не лише насиченіший фруктовий і ванільний смак, а й дещо вільнішу консистенцію – завдяки тому, що вино може «дихати». Вина з іржостійких сталевих посудин здебільшого трохи тугіші, адже кисень не може вийти.

Яйце

Ця нині модна посудина для бродіння і настоювання зроблена з бетону. Вина змінюють свою текстуру, підкреслюючи таніни, тому смак розкривається трохи краще. Винороби вважають, що бетон так само пом'якшує консистенцію вина, як і барило: невелика кількість кисню проникає крізь стінки, створюючи унікальну (і бажану в наші дні) текстуру.

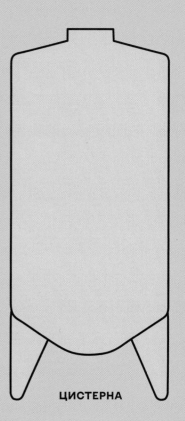

ЦИСТЕРНА

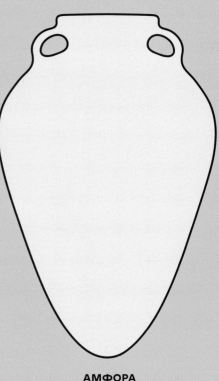

АМФОРА

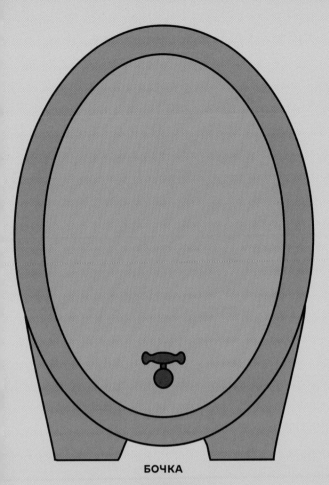

БОЧКА

УСЕ ПРО ДУБ...

▶ У давнину в барилах просто перевозили вантажі, доки винороби виявили, що вино стає смачнішим після зберігання в нових дубових бочках! (Повторно використані бочки дають менше аромату.) Провідні винні критики й зараз віддають перевагу винам з ванільною нотою, яку надає контакт із дубом (як-от вина з Ріохи чи каліфорнійське Шардоне). Головне – не переборщити. Промислові виробники так завзято витримують вино на дешевих дубових друзках, аж характеристики «вершкове», «дубове» й «масляписте» щодо Шардоне стали сарказмом. Останнім часом каліфорнійські винороби перестали виготовляти ці ванільні бомби.

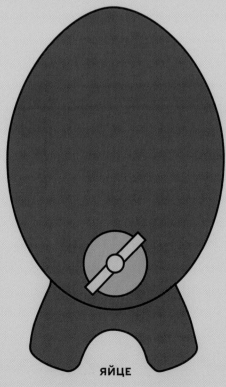

ЯЙЦЕ

БАРИЛО

Основні стилі виноробства

Біле

З цим усе просто! Зазвичай біле вино роблять з білого винограду, з або без <u>контакту зі шкіркою</u> – тобто після того, як виноград розчавлюють, його іноді залишають у цистерні, щоб розм'якшувався годину чи дві, – так ароматні фенольні компоненти в шкірках наситять сік до того, як його вичавлять і процідять. Контакт зі шкіркою увиразнює та ускладнює смак вина.

БІЛЕ ВИНО З ЧЕРВОНОГО ВИНОГРАДУ

Як і скрізь у житті, тут є винятки. У деяких випадках, як-от вина blanc de noir (буквально «біле з чорного»), червоний виноград використовують для виготовлення білого вина, не беручи до уваги Піно Нуар і Піно Меньє. Для вироблення білих вин **червоний виноград проціджують одразу ж і без розмочування** (див. с. 35), щоб уникнути забарвлювання.

■ **контакт зі шкіркою**
Коли виноградне сусло під час мацерації та бродіння залишають у контакті зі шкірками, що додає кольору й аромату.

Як робити біле вино

Виноград очищають від гребнів або дроблять його з ними.

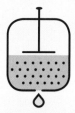

Виноград розчавлюють, щоб відділити шкірки та кісточки.

Сік переброджує у вино.

Вино недовго тримають у цистернах або залишають у бочках для довшого дозрівання.

Вино проціджують, розливають у пляшки і невдовзі випускають на продаж.

33

Червоне

Якщо ви роздавите червону виноградину, то отримаєте білий сік. Колір, як і м'які таніни, добувають зі шкірки під час мацерації. Що товщі шкірки, то триваліша мацерація. Червоний виноград буває як із товстими шкірками (такі сорти, як Каберне Совіньйон, Мерло, Мальбек), так і з тонкими (Піно Нуар, Ґаме, Неббіоло, Ґренаш) – і з перших, звісно, виходять темніші вина.

Проте не робіть хибних висновків, коли бачите напівпрозоре червоне вино: це не завжди означає легший смак та консистенцію, і світліше червоне вино не поступається темнішому. Темніший колір виходить виключно завдяки товщині виноградної шкірки й тривалості мацерації. Узагалі-то, якщо ви побачите Піно Нуар дуже темного відтінку, можете бути певні, що до нього домішали інший сорт, аби добитися цього кольору.

▪ **таніни**
Хімічні компоненти, що містяться у шкірках і кісточках винограду. Таніни надають червоному вину щільності й придатності для тривалої витримки. З часом м'якшають. Також вони можуть створити відчуття сухості в роті, як після чифіру.

Як робити червоне вино

Після вичавлювання сік настоюють з виноградними шкірками, щоб добути з них колір, аромат і таніни.

Сік переброджує у вино.

Вино обережно витискають, щоб видалити шкірки, гребні та кісточки.

Вино дозріває в бочках (тривалість буває різною).

Вино очищають, розливають у пляшки, а тоді випускають у продаж або лишають настоюватись далі.

Оранжеве

Оранжеві вина, що родом зі Словенії та Північно-Східної Італії і виготовляються за старовинною грузинською технологією, нині страшенно популярні серед шанувальників «натуральних» вин. Їх роблять так само, як червоні, але з використанням білого винограду: сік декілька місяців вимочують зі шкірками, щоб видобути якнайбільше аромату, а це означає, що його консистенція і таніни подібні до червоного. Оранжевий відтінок виникає через флавоноїди у виноградних шкірках. Часто такі вина бувають каламутні та мають аромати редуктивних вин.

Рожеве

Рожеве (або розé) вино виробляють із червоного винограду, який вимочують лише декілька годин, щоб видобути зі шкірок трохи кольору. Рожеве вино часто складається з різних сортів, приміром: Мурверд, Піно Нуар і Ґренаш, — до яких іноді додають трохи білого.

Рожеве вино у США має шалений попит: у 2017 році серед усіх напоїв воно найшвидше набувало популярності з ростом обсягу продажів на 25 % за рік. Запит на рожеве вино з Провансу — французького регіону, який раніше недооцінювали через простоту вин, — виснажив місцеві виноградні запаси. Тепер уже варто скуштувати рожеве вино з інших областей, як-от Ode to Lulu з Каліфорнії, Domaine Vacheron із Сансеру, німецьке Stein та австрійське Gobelsburg Cistercien.

■ **мацерація**
Вимочування виноградного сусла разом зі шкірками, щоб видобути колір, аромат і таніни.

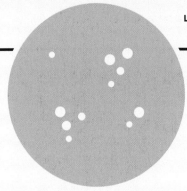

Ігристе

▶▶▶ Шампанське вважають ідеальним для першого святкового тосту, та в Le Bernardin я інколи добираю його до кожної страви у довгому меню, показуючи властиву йому багатогранність, що далеко не обмежується аперитивом. Я навіть готовий доводити, що ігристі вина – це найкращий супровід до їжі, який ви тільки можете знайти.

Шампанське легко пити, але насправді його створення потребує багатьох ресурсів, адже необхідно простежити за двома етапами бродіння, а не одним. Саме цей подвійний процес робить його смак таким складним, а ціну – такою високою (заслужено).

Перш ніж закопуватися надто глибоко (і, так, я збираюся побути тут занудою лише заради того, аби показати, на яку повагу заслуговує цей вид вина), дозвольте мені пояснити різницю між процесами виготовлення ігристих вин. Найпростіший вид під назвою «ігристе вино» виготовляють завдяки карбонуванню, тобто просто введенням вуглекислого газу в біле або рожеве вино. Великі круглі бульбашки відразу видають, що його зробили за допомогою цього дешевого методу. Якщо ігристе коштує 3,99 долара, можете бути певні: ніхто не дбав про такі речі, як фільтрування та <u>дозаж</u>.

Метод цистерн (резервуарний)

ПРИКЛАДИ: Ламбруско, Просекко

Також відомий як метод Шарма, його назва сама себе пояснює: бродіння відбувається в цистернах, а не у пляшках. Це фінансово вигідний підхід до створення недорогих ігристих вин. Другий етап ферментації відбувається у великих цистернах під високим тиском. Після фільтрування до вина додають дозаж і зразу ж відправляють на продаж. Забудьте про витримку! У результаті виходить просте вино без будь-якої індивідуальності. (Вибач, Просекко.)

Метод ансестраль

ПРИКЛАДИ: pét-nat

Також відомий як méthode rurale, дедалі більше поширюється як техніка, і, на думку експертів, був попередником méthode champenoise, тобто традиційного методу. Як і будь-яке інше вино, ігристе спершу переброджує в бочці (або в іржостійкій сталі чи бетоні). Тоді, поки всі залишкові цукри не перетворилися на алкоголь і вуглекислий газ, вино охолоджують, очищають (пляшку струшують і перевертають) та дегоржують перед розливом. Після бродіння у пляшці впродовж хоча б двох місяців вино готове. У результаті ми отримуємо витончене та освіжне ігристе, яке зазвичай дуже легко п'ється. Одне з моїх улюблених – Bugey-Cerdon La Cueille від Патріка Боттекса. Ви можете помітити, що цей метод дедалі частіше використовують для модного шипучого вина pétillant naturel, більш відомого як <u>pét-nat</u> (пет-нат).

Резервуарний метод

1 – Перше бродіння в цистерні.

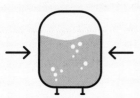

2 – Друге бродіння у величезній цистерні під високим тиском.

3 – Фільтрування і додавання дозажу.

4 – Розлиття у пляшки і продаж.

Метод ансестраль

1 – Перше бродіння в бочці (або в цистерні).

2 – Вино розливають у пляшки разом із залишками цукру.

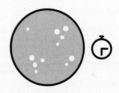

3 – Бродіння у пляшках щонайменше 2 місяці.

4 – Можна пити!

■ дозаж
Суміш вина й цукрового сиропу або поліпшеного (очищеного) виноградного сусла.

■ pétillant naturel (або pét-nat)
Технологія виготовлення «натурального» вина, яке виходить трохи шипучим.

ІГРИСТЕ ВИНО

Традиційний метод

1— Перше бродіння в бочці
(або в цистерні).

2—Додають тіраж,
і вино розливають у пляшки.

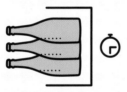

3— Вино закупорюють кришечкою
«корона» і кладуть горизонтально
для другого бродіння. Відтак воно
старішає разом з осадом.

4— Ремюаж повільно переміщує
осад до шийки пляшки.

5—За допомогою дегоржування,
процесу замороження шийки пляшки,
осад видаляють.

6— Щоб відрегулювати рівень цукру,
додають дозаж.

7— Вставляють корок, який фіксують
металевою решіткою.

■ **вторинне бродіння**
Буквально другий раз,
коли вино бродить.

■ **кюве**
Суміш або
поєднання різних
вин.

■ **«корона»**
Рифлена кришка, яку
ви бачили на пляшках
пива і газованої води.

Традиційний метод

ПРИКЛАДИ: шампанське, кава, креман

Також відомий як *méthode champenoise* у Франції, *metodo classico* в Італії та *méthode cap classique* у Південній Африці, це найбільш складний метод. Для шампанського він починається зі змішування основи з тихих вин, що називаються *vin clair* – зазвичай це суміш Піно Нуар, Піно Меньє та Шардоне. Майстер винного льоху постійно куштує суміш, поки та досягне ідеального балансу, іноді додаючи *різерва* (витримані базові вина, відкладені з попередніх мілезимів), перш ніж залити готову основу в дубові барила або великі дерев'яні бочки – хоча іноді використовують бетонні яйця та цистерни з іржостійкої сталі.

Я куштував ці базові вина, і вони виявились навдивовижу складними: дуже цитрусові й засушливо-терпкі на смак. Це доказ того, як вино розвивається під час другого, або вторинного, бродіння.

Після закінчення приготування кюве додається тіраж – суміш вина, цукру та дріжджів. Потім вина розливають у пляшки, закривають «короною» і кладуть горизонтально в льосі для вторинного бродіння, яке триває чотири-шість тижнів.

Тепер уже ігристе вино настоюється разом з осадом (мертвими клітинами дріжджів з тіражу, які опустилися на дно пляшки). Цей етап має значний вплив на якість. В Іспанії кава мусить настоюватися щонайменше дев'ять місяців (тридцять місяців для вінтажного). Вінтажне шампанське має бути витримане на осаді мінімум тридцять шість місяців – це три роки! Коротко кажучи, саме настоювання на осаді визначає якість шампанського і надає бульбашкам справжньої витонченості та елегантності.

Якщо ігристе вино виробляють для міні-пляшки, на цьому процес зупиняється. Завершувати його повністю заради половини стандартного об'єму було б надто дорого і трудомістко. (Якби ви дегустували звичайну і малу пляшку з того самого виноградника по черзі, то помітили б різницю в складності. І я мушу визнати, що маґнум-пляшка шампанського смакує краще, ніж стандартні 750 мл.)

Наступний етап для пляшок повного розміру – ремюаж: декілька тижнів пляшку поступово переміщують з горизонтального в майже перевернуте положення, щоб осад зібрався в шийці. Якби ви просто поставили пляшку вертикально, осад прилип би до стінок пляшки і не зміг би пробитися до кришечки. Це повільна і трудомістка ручна праця – хоча деякі комерційні виробники кави проводять ремюаж механічно всього за кілька днів.

І, нарешті, процес дегоржування. За допомогою хімічних процесів шийку пляшки заморожують. Коли «корону» знімають, заморожений осад вилітає під тиском. Для компенсації втрати рідини до пляшки доливають суміш вина (для стилю брют натюр; щоб дізнатись більше, див. наступну сторінку) і, залежно від стилю (екстра брют, брют, напівсухе, сухе), цукровий сироп (він же дозаж). Дозаж додають для врегулювання рівня цукру як остаточне вдосконалення – так само до їжі перед подачею додають дрібку солі, щоб підкреслити смак.

Тепер пляшки закупорені належним корком для шампанського й закріплені металевим мюзле, щоб корок не вискочив від тиску, в еквіваленті майже вдвічі більшого, ніж в автомобільній шині.

Наскільки воно солодке?

«Шампанським» можна називати тільки вина, вироблені у французькому регіоні Шампань.

Кількість дозажу визначає рівень солодкості шампанського або ігристого вина. Терміни «екстра брют» і «брют», які ви бачите на етикетках, стосуються кількості грамів залишкового цукру, доданого на літр перед розлиттям у пляшки. Ось найбільш поширені з них.

БРЮТ НАТЮР (від 0 до 3 г/л)

Якщо ви тільки знайомитеся із шампанським, не починайте з нього! Шампанське брют натюр по-справжньому терпке й гірке. Однак через деякий час (приблизно років десять) ці пляшки найбільше западають у пам'ять. Я все ще думаю про Prévost 2002 року, яким посмакував торік...
▶ **Скуштуйте**: Champagne La Closerie Les Béguines від Жерома Превоста; Champagne Vouette & Sorbée

ЕКСТРА БРЮТ (від 0 до 6 г/л)

Яскраве, цитрусове, з ноткою терпкості.
▶ **Скуштуйте**: Chartogne-Taillet Chemin de Reims; Agrapart & Fils Minéral

БРЮТ (від 0 до 12 г/л)

Додатковий цукор надає трохи насиченості і м'якості.
▶ **Скуштуйте:** Якщо у вас не надто багато досвіду з шампанським, з цього буде найприємніше починати. Якщо вам подобається солодше, скуштуйте Veuve Clicquot або Moët & Chandon Brut Impérial як орієнтир, тимчасом як Louis Roederer і Billecart-Salmon будуть значно сухіші.

ДВА СЛОВА ПРО ЦУКОР ТА ІГРИСТІ ВИНА

▶ **Цукор, як макіяж, приховує вади.** Хоча косметика покращує вигляд, її надмір змінює до невпізнанности, але зовсім обійтися без цукру не вийде. Я дегустував дозаж з Александром Шартонем із прекрасного Chartogne-Taillet. Ми куштували шампанське за зростанням солодкости, і це страшенно захопливо: нульовий дозаж був загірким і терпким — ніби я жував камінь. З кожним доданим грамом цукру смаки розцвітали... аж доки цукор заглушив і приховав смак вина. Як до лимонаду додають цукор, щоб зробити його менш терпким і питкішим. Те саме з шампанським! Рівень цукру в шампанському знижується, почасти через швидше дозрівання винограду (привіт, зміна клімату). Менші виробники застосовують ретельнішу селекцію. Як наслідок маємо яскравіші та складніші базові вина, які потребують менше цукру. (Великим виробникам, щоб задовольнити попит, доводиться купувати ягоди по всьому регіону, жертвуючи майстерністю. Нерідко це маскують вищим рівнем цукру в дозажі.)

Шпаргалка з бульбашок

КАВА

Звідки: Іспанія
Смак: Фруктовий, кислуватий
Метод: Традиційний
Витримка: 9 місяців (стандартно), 15 місяців (різерва), 30 місяців (ґран різерва)
Ціна: $10-$25

ПРОСЕККО

Звідки: Італія
Смак: Фруктовий, кислуватий
Метод: Резервуарний
Витримка: Немає
Ціна: $10-$15

ЛАМБРУСКО

Звідки: Італія
Смак: Темних фруктів, квітковий, кислуватий (зроблено з використанням червоного винограду)
Метод: Резервуарний (промисловий), ансестраль
Витримка: Немає
Ціна: $15-$25

ІГРИСТЕ ВИНО

Звідки: З усього світу!
Смак: Фруктовий, кислуватий
Метод: Традиційний, резервуарний, карбонації
Витримка: По-різному
Ціна: $10-$30

ПЕТ-НАТ

Звідки: З усього світу, але здебільшого Франція
Смак: Нагадує комбучу, кислуватий
Метод: Ансестраль
Витримка: Немає
Ціна: $15-$30

ШАМПАНСЬКЕ

Звідки: Франція
Смак: Фруктовий, підпечений, кислуватий
Метод: Традиційний
Витримка: 15 місяців (не вінтажне), 36 місяців (вінтаж)
Ціна: $30+

Що насправді означає «натуральне виноробство»?

▶▶▶ Існує гаряча політична дискусія між прихильниками «звичайних» виноробів, які можуть обприскувати свій виноград пестицидами і використовувати різноманітні хімікати для створення бажаних вин, та «натуральними» виноробами, які вважають, що виноград має бути природним і біодинамічним, а соки – потрапляти відразу в пляшку без додавання цукру, сірки або окислювачів – без фільтрування та обробки. Я помітив, що «натуральні» вина часто бувають каламутні, різкі й нестабільні (тобто смак швидко змінюється). Ось деякі терміни і твердження, які стосуються цих альтернативних вин.

«Натуральне» вино

Виноград вирощують природно або біодинамічно без використання пестицидів. До соку не додають нічого, що може вплинути на смак, а втручання у процес бродіння в льосі, як-от додавання дріжджів або регулювання кислотності за допомогою хімічних речовин, зводиться до мінімуму. Як результат, «натуральні» вина не фільтрують (звідси їхня особлива каламутність),

а якщо й додають сульфіти під час розливання в пляшки, то обходяться мінімальною кількістю, щоб сприяти збереженню. Не всі «натуральні» вина є сертифікованими органічними, і, щоб заплутати вас іще більше, не всі органічні та біодинамічні вина «натуральні». Читайте далі!

У США USDA контролює використання терміна «органічне», тимчасом як компанія Demeter має торговельний знак Biodynamic. Як результат, у США існує два типи маркування органічного вина. Ті, що позначені як «USDA Organic», виготовляють з органічно вирощеного винограду, й усі добавки (очисні агенти та дріжджі) повинні бути органічними. Ці вина виготовляють без додавання сірки, хоча там ще містяться природні сульфіти. Це, звісно, чудово, але річ у тім, що діоксид сірки (SO_2) – найкращий природний консервант для вина. Ось чому так мало вин з цією етикеткою ви знайдете в продажу.

«Вироблено із сертифікованого органічно вирощеного винограду»

на етикетці означає, що у вині містяться такі ж дозволені добавки, як у винах «USDA Organic», але з обмеженням на пляшку до 100 пропроміле загального SO_2 для червоних вин та 150 пропроміле для білих і рожевих.

Європейський Союз визнає вина, вироблені з органічного винограду та з органічними добавками, як «EU Organic». ГМО заборонені. Норми щодо вмісту сірки там такі ж, як і для «вироблених із сертифікованого органічно вирощеного винограду» вин у США.

«НАТУРАЛЬНЕ» ВИНОРОБСТВО

■ **сульфіти**
Сульфур діоксид (SO_2), який часто ще називають сіркою. Консервант, що вже є на виноградних шкірках до бродіння або додається у вино під час виготовлення (зазвичай перед розливанням у пляшки).

■ **очисні агенти**
Речовини, які додають у вино, щоб уникнути каламутності внаслідок видалення слідів білка чи осаду. Для цього використовують бентоніт, яєчні білки та казеїн.

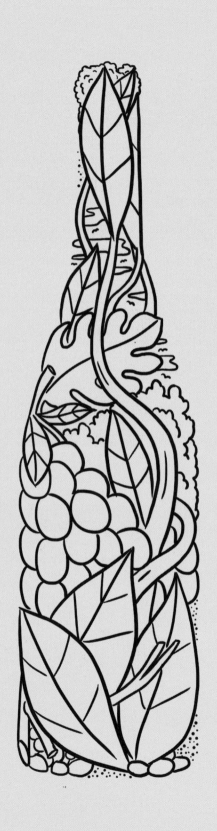

Окрім цього, є ще й біодинамічні

Біодинамічне та органічне господарство подібні тим, що не використовують хімікатів. Але біодинамічне землеробство, яке ґрунтується на принципах австрійського філософа початку XX століття Рудольфа Штайнера, – це холістичний підхід, що розглядає виноградник як цілісну екосистему, де рослини, поля, ліси, тварини, ґрунт, компост, люди та «дух» місця тісно взаємопов'язані і взаємодіють, підживлюючи одне одного. Фермер також стежить за місячним циклом, щоб визначити, коли вдобрювати ґрунт, садити виноград і збирати врожай. До здоров'я ґрунту ставляться гомеопатично. (Фермери навіть закопують у зимку в землю коров'ячі роги, наповнені гноєм дійної корови, щоб зробити весняний компост...)

Якщо вино позначене як «біодинамічне», це означає, що виноград вирощували біодинамічно, а виноб не використовував жодних поширених прийомів, скажімо додавання дріжджів. Вино, яке має знак «виготовлене з біодинамічного винограду», означає, що виробник використовував біодинамічно вирощений виноград, але у процесі виготовлення дотримувався менш суворих правил. Хоча цю категорію контролюють такі організації, як Demeter USA та Biodyvin, насправді дедалі більше виноробів використовують біодинамічні практики, але пропускають сертифікацію, бо часто це потребує багато грошей і часу.

Я розмовляв з багатьма виноробами про те, чому вони дотримуються цих езотеричних ритуалів. Ельзаський виноб Олів'є Гумбрехт MW сказав, що його перехід на біодинамічні практики землеробства, наприклад залишати більше листя на лозах, щоб створити затінок для ягід, зрештою дав йому змогу зменшити рівень алкоголю у винах. (Усупереч тому, що ви можете подумати, у надлишку алкоголю немає нічого доброго: він маскує смак вина та неприємно обпікає рот.) Після того як французький виноб Альфред Тессерон переобладнав виноградники в Château Pontet-Canet на біодинамічні й почав витримувати вина в амфорах, він завдяки поліпшенню якості здобув миттєве визнання серед авторитетних критиків. (Дізнайтеся більше про оцінювання вин на с. 187.) Іноді господарства здійснюють перехід без публічності, на зразок легендарних Domaine de la Romanée-Conti, Domaine Leflaive та частини виноградника для вироблення Cristal, тимчасом як інші голосно про це заявляють. Як написала Дженсіс Робінсон у своїй чудовій книжці 24-Hour Wine Expert, «Це видається божевіллям, але в результаті виходить досить цікаве вино – і надзвичайно здорові на вигляд виноградники».

Екологічні

Це стосується низки практик, не лише безпечних для природи, а й соціально відповідальних. Вони ґрунтуються на тому, як виноробня споживає воду та енергію, чи використовує легші пляшки, щоб зменшити вуглецевий слід під час перевезення, і навіть на тому, як вона впливає на місцеву громаду. Екологічні фермери можуть господарювати органічно чи біодинамічно, але мають змогу вибору практик, що найкраще підходять для їхньої ділянки та регіону. Деякі треті сторони, як-от EMS (Environmental Management System), Salmon-Safe та SIP Certified, надають екологічну сертифікацію, а багато регіональних галузевих асоціацій працюють над розробкою чіткіших стандартів. Загалом, упроваджувати екологічність дорого, але це означає турботу про довкілля.

Основні сорти

▶▶▶ Сорт – це вид винограду, з якого виробляють вино з такою самою назвою. Кожен вид має власну неповторність завдяки товщині шкірки, смаку м'якоті та навіть розміру кісточок. Хоч у кожного сорту є спільні характеристики, проте на результат у вашому келиху впливають і ґрунт, і клімат, і місце зростання винограду, і, звісно, винороб. Попри те, що із Совіньйон Блану, вирощеного під теплим південноафриканським сонцем, вийде більш енергійне вино, ніж з урожаю з прохолодніших регіонів Франції, на смак вони залишаються близькими родичами, що відчутно навіть за дегустації наосліп.

Читаючи цю частину, зверніть увагу на те, який виноград здається вам найсмачнішим. Тоді заглибтеся трохи далі та дізнайтеся, яким він буває в різних країнах. При купівлі вина вам допоможе навіть знання сорту й регіону, адже це підкаже сомельє та працівникам винної крамниці, яка пляшка щонайкраще порадує ваші смакові рецептори. Але не зациклюйтеся на основних сортах – досліджуйте інші й будьте відкриті до нового. Ви можете отримати вельми непогане вино за малі гроші.

білі

Піно Ґріджіо

▶▶▶ *Найкраще для знайомства з білими винами. Просте, легко п'ється та ніколи не підведе — це вино порозуміється з усіма. Запросіть його на свою наступну вечірку.*

У цього сіруватого сорту, що мутував від винограду Піно Нуар, з дозріванням шкірка забарвлюється в рожевий. Найпопулярніші — світліші версії: вони прекрасно освіжають. На жаль, лозу Піно Ґріджіо часто перевиснажують, це нищить усю індивідуальність вина. А якщо все зробили правильно, Піно Ґріджіо матиме чудовий аромат і натяк на гіркий мигдаль. Найкращі зразки можна знайти у Фріулі. Це вино ідеальне для вечірок — воно недороге й подобається всім.

Піно Ґрі з Ельзасу сильно відрізняється від свого італійського родича смаком і запахом. Зазвичай воно набагато насиченіше, текстурніше та має медову нотку завдяки поширеному в регіоні грибку ботрітіс.

■ **ботрітіс**
Грибок природного походження, завдяки якому у винограді концентрується солодкість, а в сухих винах з'являється медовий присмак. Також його називають благородною гниллю.

КЛЮЧОВІ ФАКТИ

 СМАК
Лимон
Диня
Персик
Мигдаль
Мед
Жовте яблуко

▷ **ХАРАКТЕРИСТИКА**
Легке
Пікантне
Фруктове

◎ **ОСНОВНІ РЕГІОНИ ВИРОЩУВАННЯ**
Ельзас
Венето
Фріулі
Альто-Адідже
Долина Вілламетт
Сонома

◯ **ІНШІ НАЗВИ**
Піно Ґрі (Франція)
Ґраубурґундер (Німеччина)

ЩО ШУКАТИ

▶ **Cantina Tramin,**
Альто-Адідже, Італія

▶ **Cantina Terlano,**
Альто-Адідже, Італія

▶ **Venica & Venica,**
Фріулі, Італія

▶ **Neumeister,**
Штирія, Австрія

▶ **Trimbach,**
Ельзас, Франція

▶ **Zind-Humbrecht,**
Ельзас, Франція

ОСНОВНЕ

☐ Італійське Піно Ґріджіо бадьорить, освіжає та легко п'ється. Ті вина, що з Ельзасу, зазвичай насиченіші.

☐ Піно Ґріджіо з Фріулі та Альто-Адідже ароматніші.

☐ Вина з Венето нейтральніші на смак, бо їх виготовляють для мас-маркету.

☐ Якщо ви бачили рекламу Піно Ґріджіо на білборді, то заплатите за рекламну кампанію, а не за сам продукт.

☐ Ви отримаєте непогане вино, якщо готові витратити понад 15 доларів.

БІЛЕ ◯ ПІНО ҐРІДЖІО

Совіньйон Блан

▶▶▶ *Насичений аромат, що ніколи не підведе: Совіньйон Блан є фаворитом усіх винолюбів, які починали з Піно Ґріджіо, — і не лише за співвідношенням ціни та смаку.*

КЛЮЧОВІ ФАКТИ

СМАК
Трава
Грейпфрут
Аґрус
Лайм
Листя смородини
Солодкий перець
(зелений, жовтий, червоний)

ХАРАКТЕРИСТИКА
Пікантне
Трав'янисте
Кисле
Із сильним ароматом

ОСНОВНІ РЕГІОНИ ВИРОЩУВАННЯ
Луара
Бордо
Нова Зеландія
Каліфорнія
Австрія
Італія

ІНШІ НАЗВИ
Сансер
Пуї-Фюме
Менету-Салон
Сен-Брі
(це основні апеласьйони)

Схоже, Совіньйон Блан за популярністю узяв гору над Піно Ґріджіо. Цей ароматний сорт має дуже виразний смак з рослинними характеристиками та запахом трави, яку «помітили» коти.

Вина Совіньйон Блан із Сансеру найпопулярніші у Штатах, тож їхня ціна суттєво зросла. Мені подобаються сансери із села Шавіньоль, вирощені на terre blanche (родючий вапняк, що містить уламки черепашок з юрського періоду, – його також можна знайти в найкращих виноградниках Шаблі та південних частинах Шампані). Цей ґрунт породжує дуже витончені, пікантні та чисті сансери, які прекрасно старіють – мені пощастило скуштувати вінтаж аж 1959 року.

Нова Зеландія вийшла на міжнародну сцену завдяки Совіньйон Бланам із Клауді Бей, зробленим у регіоні Марлборо. Це вино з насиченим рослинним ароматом соковитих тропічних фруктів і листя смородини. Зазвичай його розливають у пляшки з гвинтовими кришечками, яким віддають перевагу в Новій Зеландії та Австралії. (Чесно кажучи, новозеландські Совіньйон Блани – це для мене занадто: вони страшенно гучні, це ніби дві години намагатися підтримувати розмову в клубі.)

Найвідоміший австрійський регіон Совіньйон Блану – це Штирія, тут смак вина десь посередині між виразним Совіньйоном з Нової Зеландії та пікантними мінеральними сансерами з Луари. На аперитив варто скуштувати легкі, елегантні, освіжні вина, які навіюють спогади про хрусткість яблука Ґренні Сміт.

ЩО ШУКАТИ

► Із **долини Луари, Франція:**
Сансер від **Gérard Boulay, Domaine Vacheron, Domaine François Cotat** та **Domaine Pascal Cotat**

Пуї-Фюме від **Jonathan Didier Pabiot** та **Didier Dagueneau**

► Із **Бургундії, Франція:**
Сен-Брі від **Domaine Goisot** (єдине законно дозволене вино Совіньйон Блан у Бургундії)

► Зі **Штирії, Австрія:**
Tement, Neumeister, Gross та **Lackner-Tinnacher**

► Із **Марлборо, Нова Зеландія:**
Cloudy Bay, Craggy Range та **Coopers Creek**

Міф! Що інтенсивніший смак, то краще вино. Іноді хорошого буває забагато.

ОСНОВНЕ

☐ За масштабами насиченості новозеландське Совіньйон Блан – це EDM, австралійське – рок-балада, а сансер – легкий джаз.

☐ Сансер – це те саме, що й Совіньйон Блан! Як і Пуї-Фюме. З французами можна заплутатись, бо вони пишуть на пляшці тільки апеласьйон, а не сам сорт. Звісно, бувають винятки! В Ельзасі на пляшці можна знайти перелік усіх сортів.

☐ Коли люди закінчують з Піно Ґріджіо, їм часто хочеться яскравішого аромату, який може запропонувати Совіньйон Блан. Піно Ґріджіо – це як нежирне філе міньйон, тимчасом як Совіньйон Блан – великий стейк на кістці з насиченим завдяки жиру смаком.

☐ Є багато доступних вин Совіньйон Блан, але не опускайтеся нижче 10 доларів, щоб не пошкодувати.

☐ Подавайте його якомога холоднішим, але не нижче 7°C (див. с. 193).

БІЛЕ ○ СОВІНЬЙОН БЛАН

Шардоне

▶▶▶ *Виноград з багатьма обличчями (та іменами), Шардоне буває як освіжним та яскравим, так і насиченовиразним.*

КЛЮЧОВІ ФАКТИ

СМАК
Жовте яблуко
Зелене яблуко
Ананас
Лимон

ХАРАКТЕРИСТИКА
Фруктове
Свіже
Маслянисте
Повнотіле

ОСНОВНІ РЕГІОНИ ВИРОЩУВАННЯ
Бургундія
Каліфорнія
Австралія

ІНШІ НАЗВИ
Шаблі
Монраше
Біле бургундське

Існує багато видів Шардоне, однозначно описати його смак дуже складно. Цей виноград не дуже чутливий до температури, вирощувати його у власному дворі могли би навіть ви! На смак Шардоне впливає теруар, та ще промовистіше він свідчить про майстерність винороба. Чи то легке мінеральне шаблі (французький апеласьйон), чи суворе шампанське blanc de blancs із Ле-Месніль, чи насичене Монраше з Бургундії, де з Шардоне виробляють майже всі білі вина, а чи вершкове каліфорнійське Шардоне – воно аж ніяк не універсальне: порівняйте кілька цих вин – ви будете приголомшені.

У Каліфорнії Шардоне люблять витримувати в дубі або на дубовій стружці задля аромату. Часто розкішний смак забезпечують кілька грамів залишкового цукру. Стереотипи про дубові каліфорнійські Шардоне небезпідставні, але покоління змінюються: багато молодих виноробів стажувалися у Франції між 2004 і 2014 роками та віддають перевагу витонченішому дубовому аспекту. Найдинамічніші зони Шардоне в Каліфорнії на сьогодні – це Санта-Ріта Гіллз і Санта-Барбара, де вина нагадають вам свіжість Бургундії та фруктову чуттєвість Каліфорнії. В Ореґоні переважають цитрусові, лінійні

▪ теруар
Французький термін на позначення сукупного впливу ґрунту, клімату та регіону розміщення виноградника на смакові характеристики вина.

стилі, разюче відмінні від каліфорнійських суперників.

Коли клієнти кажуть, що не люблять Шардоне, але їм смакують шаблі та Біле бургундське, я силуюся зберегти серйозний вираз обличчя: це все те саме Шардоне, просто для них назвою став їхній апеласьйон або назва регіону, а не сорт винограду. Шампанське? Його виготовляють на основі Шардоне, як ви вже знаєте зі сторінки 39.

Щодо інших частин світу: австралійські Шардоне схожі на каліфорнійські буянням смаку та вищим умістом залишкового цукру. У новозеландських – ширший спектр ароматів. Через те, що вони переброджують за нижчої температури, у них сильніший присмак жувальних цукерок. На відміну від австралійських сусідів, ці вина мають нижчий рівень залишкового цукру, а фруктові смаки приховують аромати дуба. У Південній Африці й Аргентині також підвищується якість і обсяг виробництва.

ЩО ШУКАТИ

▶ **Domaine Louis Michel & Fils,** Шаблі, Франція

▶ **Domaine Roulot,** Бургундія, Франція (якщо хочеться витратитись)

▶ **Bénédicte & Stéphane Tissot,** Юра, Франція

▶ **Sandhi,** округ Санта-Барбара, Каліфорнія

▶ **Lingua Franca,** долина Вілламетт, Ореґон

▶ **Velich,** Бурґенланд, Австрія

▶ **Three Oaks,** Джилонг, Австралія

ОСНОВНЕ

☐ Шпаргалка з Шардоне: шаблі свіже й мінеральне; Біле бургундське насичене й величне; каліфорнійські та австралійські Шардоне вершкові, масянисті й часто з дубовим ароматом – найяскравіші з цієї групи. А якщо вино з Каліфорнії занадто насичене, а шаблі – кисле, дайте шанс Південній Африці, новій Каліфорнії, особливо Санта-Барбарі чи Ореґону.

☐ Як порівняти з іншими білими винами, Шардоне має досить високий рівень кислотності й характерний смак зеленого яблука, не кажучи вже про більшу міцність та м'якшу завдяки витримці в дубі текстуру.

☐ Оскільки Шардоне найчастіше витримують у дубі, а це дорого, вам доведеться заплатити трохи більше.

БІЛЕ ○ ШАРДОНЕ

■ **дубове**
Вино, витримане в бочках з обпаленого дуба. М'які таніни з деревини замінюють тверді виноградні, даючи насичений ванільний аромат і вершковий смак на язиці.

■ **лінійне**
Освіжне й рівне вино, де всі смаки неначе дотримуються однієї лінії.

Не кажіть, що ви ненавидите Шардоне, але обожнюєте Біле бургундське

Оскільки Франція та Італія маркують свої вина за апеласьйоном (регіон), а не за сортами (виноград), буває складно згадати, що міститься у пляшці. Ось шпаргалка подвійних значень, щоб не схибити наступного разу, коли хтось запитає вас, які вина ви любите, а які — ні.

АПЕЛАСЬЙОН (РЕГІОН)		СОРТ (ВИНОГРАД)
Бароло	⟷	Неббіоло
Божоле	⟷	Ґаме
Бордо	⟷	купаж
		Каберне-Мерло
Bourgogne blanc	⟷	Шардоне
Шаблі	⟷	Шардоне
Pouilly-Fuissé	⟷	Шардоне
К'янті	⟷	Санджовезе
Шинон	⟷	Каберне Фран
Кот-дю-Рон	⟷	Гренаш
Сен-Жозеф	⟷	Шираз
Пуї-Фюме	⟷	Совіньйон Блан
Сансер	⟷	Совіньйон Блан
Соаве	⟷	Ґарґанеґа

Біле бургундське

Шенен Блан

▶▶▶ *Цей недооцінений виноград і універсальний, і складний. Чому він не дуже популярний — таємниця для мене. Переваги? Його шалена цінність.*

Шенен Блан залишається таким собі аутсайдером з дедалі більшою кількістю прихильників – завдяки чудовій якості за свою ціну – особливо той, що з долини Луари у Франції. Ці сухі вина приємні своєю складністю: настояний у дубі Шенен Блан можна легко переплутати з дорогим бургундським. (Покуштуйте Château de Brézé – і будете вражені.) Через підвищену кислотність, його часто використовують для виробництва ігристого вина. Недорога пляшка ігристого з Вувре, Сомюр чи Монлуї нагадає вам, що не конче щоразу вибирати шампанське.

Південно-Африканська Республіка – найбільший виробник Шенен Блан завдяки багатим і стабільним

КЛЮЧОВІ ФАКТИ

 СМАК
Лимон
Лимонна закваска
Груша
Мед
Айва
Квіти цитрусових
Волога солома
Мокра вовна

▷ **ХАРАКТЕРИСТИКА**
Цитрусове
Свіже
Кисле

◉ **ОСНОВНІ РЕГІОНИ ВИРОЩУВАННЯ**
Долина Луари
Південна Африка

💬 **ІНШІ НАЗВИ**
Шенен

урожаям на противагу долині Луари.
Те саме стосується Центральної
долини Каліфорнії, де його змішують
з виноградом Коломбар для яскравих вин.

Сухі Шенен Блан досить популярні
серед сомельє завдяки високій якості
(тобто ви можете знайти в ресторанах
хороші зразки). Цей виноград такий
цікавий, бо його кислотність трохи
вища, ніж в інших сортах, а це означає,
що з нього можна виготовляти широкий
асортимент вин: ігристе, сухе, напівсухе
та десертне.

ЩО ШУКАТИ

▶ **Із долини Луари,
Франція:**

Вувре від
**Domaine Huet та
Philippe Foreau**

Монлуї від
François Chidaine
та **Domaine la
Taille aux Loups**

Анжу від **Thibaud
Boudignon** та
Domaine Mousse

Сомюр від
**Domaine
du Collier**
та **Domaine
Guiberteau**

Савеньєр від
**Domaine aux
Moines, Eric
Morgat**, та **Coulée
de Serrant**

Sandlands,
округ Амадор,
Каліфорнія

Sadie, Свартленд,
Південна Африка

ОСНОВНЕ

☐ Ті, хто вже добре
знайомий із Шардоне,
достойно оцінять глибину
та вищу кислотність
Шенен Блан, не кажучи
вже про його особливість:
невелика кількість
промислових виробників
означає вищі шанси,
що ви купуватимете
у дрібного фермера.

☐ Задля певності
тримайтеся в межах
долини Луари – вина тут
виразніші, з характерною
кислинкою та легкою
терпкістю фруктів. Коли
будете готові, переходьте
до Південної Африки, але
з розумінням, що тут або
пан, або пропав.

БІЛЕ ○ ШЕНЕН БЛАН

*Купажований Шенен Блан із Château de
Brézé (із долини Луари) спонукає мене
думати про Біле бургундське.*

РИСЛІНГ

▶▶▶ *Неймовірно витончене, неоднозначне та багатошарове, Рислінг також найбільш гнучке вино до їжі. До того ж воно може бути дійсно дешевим!*

КЛЮЧОВІ ФАКТИ

 СМАК
Персик
Абрикос
Ананас
Маракуя
Троянда

▷ **ХАРАКТЕРИСТИКА**
Ароматне
Квіткове
Цитрусове

◎ **ОСНОВНІ РЕГІОНИ ВИРОЩУВАННЯ**
Мозель-Саар-Рувер
Рейнгау
(Німеччина)
Ельзас
(Франція)
Долина Клер
(Австралія)
Долина Вахау
(Австрія)
Штат Вашингтон

◌ **ІНШІ НАЗВИ**
Рейнський Рислінг

Цей знаний сорт має дивне становище: численні винні професіонали вихваляють його доступність, високу якість та універсальність у поєднанні зі стравами, та й після цілого дня дегустацій переважно покладаються саме на його свіжість і кислотність, але для широкої публіки воно засолодке. Річ у підвищеній кислотності його холодолюбних ягід, яку треба зрівноважити залишковим цукром. З віком його аромат стає вражаючим – якщо натрапите на витриману пляшку, відкиньте упередження і скуштуйте. Вам гарантовано незабутній досвід!

Спектр Рислінгів доволі широкий, від цілком сухих – через попит їх чимраз більшає – до напівсухих (фруктових) та десертних. Цей сорт по-справжньому розкриває особливості ґрунту, піщаного чи вулканічного, блакитного сланцю, сірого або червоного і так далі.

Зазвичай я вибираю вина Мозель-Саар-Рувер з Німеччини, мені подобається, як Рислінги відображають теруар цього прохолодного північного району. Може, я божевільний, але вірю, що навіть аматори можуть розсмакувати, що

Рислінг із Мозель-Саар-Рувер ріс, скажімо, на сланці чи вапняку. (Серйозно!)

Багато німецьких виноробень створюють сухий Рислінг: шукайте на етикетці слово trocken («сухе») та рівень алкоголю 12% або вище. Моя партнерка вважає Рислінг засолодким, але останнім часом я використовую її як піддослідного кролика. Я все частіше підсуваю їй сухі Рислінги від Пітера Лауера, Доннгофа, Лейтца та Францена. Коли вона каже: «Дуже смачно. Що це?», я відказую: «Твій найменш улюблений сорт».

Австрія віддавна пов'язана з Рислінгом, хоча Німеччина виробляє його набагато більше. Кілька чудових марок виробляють у долині Вахау, як-от класика від Еммеріха Нолла, Праґера, Альзінґера та Франца Гірцберґера. Трохи північніше в регіоні Камптталь є Schloss Gobelsburg, один з моїх улюблених австрійських виробників.

Ґрунти в Ельзасі, на сході Франції, такі різноманітні, що там вина різняться й на сусідніх виноградниках. Раніше було складно зрозуміти, чи є в ельзаському Рислінгу залишковий цукор, але з 2008 року вони повинні бути сухими за законом (виняток: вина, позначені міткою lieu-dit).

У США його виробляють чимало, особливо у штаті Вашингтон, а також у районі озер Фінґер у штаті Нью-Йорк.

Австралійський Рислінг я можу вирізнити завжди: його запах нагадує бензин.

ЩО ШУКАТИ

▶ **Peter Lauer,** Саар, Німеччина

▶ **Trimbach,** Ельзас, Франція

▶ **Hirsch,** Камптталь, Австрія

▶ **F.X. Pichler,** Вахау, Австрія

▶ **Tatomer,** округ Санта-Барбара, Каліфорнія

▶ **Hermann J. Wiemer,** озера Фінґер, Нью-Йорк

▶ **Grosset,** Долина Іден, Австралія

ОСНОВНЕ

☐ Рислінг – це найделікатніше, витончене та складне біле. Високий рівень кислотності, багато відтінків фруктів і відчутний теруар – усе це означає, що таке вино не можна просто хлебтати: ви радше захочете зупинитися й подумати про те, що п'єте. Якщо у вас є чудова страва й бажання чимось її доповнити, Рислінг підійде. Коли ж вам хочеться випити чогось просто за розмовою про роботу, відкрийте Піно Ґріджіо.

☐ Витримані Рислінги можуть бути приголомшливо вигідними. Kabinett або Grosses Gewächs з Німеччини – їхня якість еквівалентна, скажімо, Шардоне ґран крю – коштуватиме близько 70 доларів. Знайдете ви Шардоне ґран крю за 70 доларів? Точно ні.

☐ **Міф: усі Рислінги солодкі.** У жодному разі! Для універсального показника, подивіться на відсоток алкоголю: щойно він перевищує 12%, рислінг стає сухішим. (Менше 12% означає солодке вино.)

червоні

Каберне Совіньйон

👅 **СМАК**
Смородина
Шкіра
Тютюн
Кедр

▷ **ХАРАКТЕРИСТИКА**
Міцне
Насичене
Темне фруктове
Танінне

◎ **ОСНОВНІ РЕГІОНИ ВИРОЩУВАННЯ**
Бордо (Лівий берег)
Долина Напа
Штат Вашингтон
Санта-Круз
Чилі
Кунаварра

▶▶▶ *Глибокий і потужний улюбленець публіки з широкою універсальністю смаків.*

Каберне Совіньйон, який зазвичай називають Каберне або Каб, безумовно, залишається одним з найвідоміших винограду у винному всесвіті. Його дрібні, товстошкірі ягоди створюють дуже темний стиль вина з характерним ароматом, який викликає спогади про сигарні коробки та смородину. Деякі з найвідоміших, найміцніших світових вин мають у своїй основі Каберне: наприклад, Château Latour, Château Lafite Rothschild і Château Haut-Brion – усі з регіону Бордо, звідки походить Каберне, або елітне Sassicaia з Італії та культові каліфорнійські Каберне Harlan Estate, Screaming Eagle та Colgin.

Каберне потребує теплого клімату та довгого періоду дозрівання, щоб проявити свої найкращі риси характеру (той чистий, стиглий аромат лікеру зі смородини, розкішний і водночас строгий, з яскравим ароматом тютюну); інакше він матиме трав'янистий аромат солодкого зеленого перцю. Через менше співвідношення соку до шкірки та насіння він містить більше танінів, що потребує довгого настоювання, щоб пом'якшити вино.

У США Каберне в основному висаджують у Напі, Сономі та горах

Санта-Круз у Каліфорнії, а також у штаті Вашингтон. Теплий клімат Напи й Сономи забезпечує багатші й концентрованіші Каберне залежно від місця вирощування і теруару: у Напі відкритість сонячному промінню та щоденні прохолодні тумани топографічно нагадують виноградники Бургундії, тимчасом як висота і свіжість гір Санта-Круз забезпечує баланс танінів у фруктах. Клімат у Вашингтоні нагадує пустелю, тому вина фруктовіші та з вищим рівнем алкоголю.

Ви знайдете велику кількість Каберне в Південній Америці завдяки французьким виноробам, які співпрацювали з місцевими винарнями. Аргентинські Каберне зазвичай нагадують своїм ароматом гвоздику, тимчасом як чилійські Каби мають виразні евкаліптові нотки.

Невеликий регіон Кунаварра в Австралії постачає одні з найкращих Каберне в країні, у них м'які таніни та розкішний смак фруктів.

Для розваги покличте друзів, щоб разом скуштувати Лівий берег Бордо (докладнішу інформацію шукайте на с. 89), Каберне з Напи та австралійські Каби, щоб відчути всі відмінності.

ЩО ШУКАТИ

▶ **Domaine Eden,** гори Санта-Круз, Каліфорнія

▶ **Echo de Lynch Bages,** Бордо, Франція

▶ **Gramercy Cellars,** штат Вашингтон

▶ **Vasse Felix Estate,** Марґарет Рівер, Австралія

▶ **Bodega Catena Zapata,** Мендоса, Аргентина

ОСНОВНЕ

☐ Це червоне, яке сподобається всім. Особисто мене воно рідко розчаровує.

☐ Популярність Каберне означає масштабніше виробництво. Ви опуститеся до 10 доларів за пляшку і лишитеся задоволені.

☐ Якщо ви збираєтеся щедро витратитися на одне червоне вино, бордо – завжди безпечна ставка.

☐ **Міф: що важча пляшка, то краще вино.** Чистий маркетинг зі світу Каберне!

☐ Ці насичені червоні тільки виграють від взаємодії з повітрям у бокалі або графині (див. с. 212).

ЧЕРВОНЕ ● КАБЕРНЕ СОВІНЬЙОН

▶▶▶ *Якщо воно вийшло з моди, то чому в основі деяких найдорожчих вин світу цей приємний, концентрований виноград? Тому що він смачний.*

Мерло

КЛЮЧОВІ ФАКТИ

🍇 СМАК
Темна вишня
Слива
Чорниця
Темний шоколад
Тютюн
Кедр
Шкіра

▷ ХАРАКТЕРИСТИКА
Потужне
Яскраве
М'яке
Сливове

📍 ОСНОВНІ РЕГІОНИ ВИРОЩУВАННЯ
Бордо
Напа
Чилі

Одна фраза з фільму «На узбіччі» – «Якщо хтось замовить мерло, я йду звідси» – спричинила різкий спад продажів. І все ж найвідоміші у світі вина виготовляють на основі цього сорту, створеного в регіоні Бордо (згадайте Chateau Petrus). Маленьке село Помероль, де розташований Petrus, виробляє деякі найкращі екземпляри, і зовсім неважко знайти прекрасні «скромні» вина з невеликих шато поблизу на відстані всього восьми кілометрів. Шукайте Фронсак з Paul Barre, Clos Puy Arnaud і Castillon Côtes de Bordeaux. Швидкостиглі ягоди мають багатий фруктовий смак і м'які таніни, не кажучи вже про вищий рівень алкоголю. У результаті вино м'яке та пишне, з бездоганним тривалим післясмаком, який залишається з вами.

Мерло додає купажу м'якості.

Оскільки цей виноград так легко і швидко вирощувати, його саджають у всьому світі. Ви знайдете його і в Тоскані, домішаним у к'янті, щоб додати структури та насиченості, а також у дорогих супертосканах.

Хоча це вино вийшло з моди в Каліфорнії, сорт досі часто садять у штаті Вашингтон. Ви також знайдете кілька цікавих Мерло з Лонг-Айленду у штаті Нью-Йорк. А в Чилі воно популярне в поєднанні з місцевим виноградом Карменер.

ОСНОВНЕ

☐ Якщо вам не подобаються таніни, вибирайте Мерло замість Каберне Совіньйон.

☐ **Міф: усі бордо дорогі**. Поїдьте на Правий берег Бордо, щоб знайти набагато доступніших виробників.

☐ Фраза з фільму «На узбіччі» була смішна, але не робіть з неї мантру. Багато втратите.

ЩО ШУКАТИ

▶ **Château Bourgneuf,** Помероль, Франція

▶ **Domaine de Galouchey,** Бордо, Франція

▶ **Miani,** Фріулі, Італія

▶ **Coléte,** Долина Напа, Каліфорнія

▶ **Bodega Chacra,** Патагонія, Аргентина

▶ **Montes,** Кольчаґуа, Чилі

ЧЕРВОНЕ ● МЕРЛО

Піно Нуар

КЛЮЧОВІ ФАКТИ

СМАК
Вишня
Полуниця
Журавлина
Фіалка
Гриби
Спеції

ХАРАКТЕРИСТИКА
Фруктове
Землянисте
Складне

ОСНОВНІ РЕГІОНИ ВИРОЩУВАННЯ
Бургундія
Сонома
Санта-Ріта Гіллз
Нова Зеландія
Південна Африка

ІНШІ НАЗВИ
Піно Неро
Шпетбурґундер

▶▶▶ *Складне, захопливе та вишукане Піно Нуар стане для вас найбільшим викликом серед усіх червоних вин — і дасть найбільшу винагороду.*

До виходу фільму «На узбіччі» американці віддавали перевагу багатим, темним, концентрованим і дубовим червоним винам, зокрема Каберне та Мерло. Тепер популярним став тонкошкірий червоний виноград, що потребує прохолодних умов вирощування, рук майстерних виноробів та досвідчених споживачів, котрі зможуть оцінити його розкішну нюансність.

Хоч він і зірка виноградника, Піно не є вибуховим сортом. Він більше відомий своїми солодкими червоними ягодами, делікатністю, свіжістю й елегантністю. Вас на все життя захопить його спокуслива витонченість і довгий післясмак, щойно ви скуштуєте добре настояне бургундське Піно Нуар, яке досягло свого піку. (Чи станете ви одним з тих, хто заглиблюється у вивчення регіону, – справа ваша.)

Цей виноград походить із Бургундії, але його також вирощують у Шампані, долині Луари, Ельзасі та Юра. Німеччина виробляє досить цікаві клони, як-от Шпетбурґундер, з цілком конкурентними цінами. У гру включились і Каліфорнія, Ореґон, Чилі та Аргентина. Нова Зеландія, Австралія і Південна Африка виробляють ці вина, але пам'ятайте, що Піно з теплих кліматів на смак «джемові» й особисто мене ваблять менше.

У найкращому Піно Нуар поєднується вишуканість, делікатність і динамічність. Тільки-но ви скуштуєте ідеально дозріле Піно, вам усе життя хотітиметься повторити цей досвід!

ОСНОВНЕ

☐ Піно Нуар ніколи не було таким хітом, як Каберне Совіньйон. Воно значно витонченіше, і, чесно кажучи, його не так легко зрозуміти.

☐ Оскільки Піно така примадонна, за нього потрібно чимало заплатити. Не опускайтеся нижче 20 доларів.

☐ **Міф: усі Піно прекрасні.** Хотілося б!

☐ Піно бліді або напівпрозорі. Для справді темного відтінку його треба змішати з темнішим сортом.

ЧЕРВОНЕ ● ПІНО НУАР

ЩО ШУКАТИ

▶ **Domaine Marquis d'Angerville,** Бургундія, Франція

▶ **Domaine Sylvain Pataille,** Бургундія, Франція

▶ **Benedikt Baltes,** Франконія, Німеччина

▶ **Rust en Vrede Vineyards,** Стелленбош, Південна Африка

▶ **Barda,** Патагонія, Аргентина

▶ **Joseph Swan,** долина Рашен-Рівер, Каліфорнія

▶ **Bergström,** долина Вілламетт, Ореґон

▶ **J. Hofstätter,** Альто-Адідже, Італія

◼ **джемовий**
Термін дегустаторів для опису вина з високою концентрацією фруктів і яскравим смаком.

Шираз

▶▶▶ *Це темне й потужне червоне вино має насичений смак та зрівноважену кислотність і таніни, спокусливу солодкість і післясмак з перчинкою — з нього ідеально починати дослідження світу вина.*

КЛЮЧОВІ ФАКТИ

СМАК
Чорний перець
Оливки
Темні ягоди, як-от чорниці чи ожина

ХАРАКТЕРИСТИКА
Соковите
Розкішне
Пікантне

ОСНОВНІ РЕГІОНИ ВИРОЩУВАННЯ
Австралія
Північна Рона

ІНШІ НАЗВИ
Сіра

Австралійський Шираз для початківців — це відчинені ворота в червоні вина. Один з найкращих червоних сортів, популярний нині серед сомельє.

Цікаво, що Ш

рази з елементами чорних маслин і чорного перцю реально чудові перші пару років. У них навіть є присмак заліза, як у крові. Через свою пронизливу кислотність вони здаються легшими, ніж є насправді. Потім вони закриваються на сім-десять років до того, як по-справжньому розквітнути, демонструючи аромати трюфеля, білих грибів, сухого листя та спокусливих порічок. Це не легкі вина для вашої чергової вечірки, адже вимагають певної уваги від споживача.

Цей сорт — практично близнюк австралійського вина, яке має широкий спектр цін від доступного до найвідомішого в країні Grange від Penfolds (воно отримує стабільно високі оцінки критиків). Колись Шираз був таким густим і джемовим, що ви могли практично їсти

Моє улюблене вино до стейка!

його ложкою з келиха, а нині молоді винороби рухаються до відносно легшого, більш французького стилю з нижчим умістом алкоголю і складнішими смаками. І Шираз набуває дедалі більшої популярності в Сономі, де окремі винороби також наближаються до своїх французьких колег. Проте Франція працює з Ширазом століттями й досягла високої майстерності. Спробуйте почати з легших Кроз-Ермітаж або Сен-Жозеф, а тоді переходьте до прекрасного Кот-Роті, величного Ермітаж та енергійного Корнас. (Перші два, напевно, найдешевші Ширази з малих апеласьйонів.)

Тимчасом як австралійський Шираз – це чудове вино для початкового рівня, його кузени з регіону Північної Рони вимагають певного «винного досвіду», оскільки Шираз кидає значно серйозніший виклик дегустатору своїм теруаром, стилем виноробства та ідеальною рівновагою концентрованих фруктів, податливих танінів і підвищеною кислотністю в молодому віці. Зрозумівши Шираз, ви відчуєте, що він того вартий!

ЩО ШУКАТИ

▶ **Piedrasassi,**
Санта-Барбара,
Каліфорнія

▶ **Domaine Jamet,**
Рона, Франція

▶ **Alain Graillot,**
Рона, Франція

▶ **Domaine Jean-
Louis Chave,**
Рона, Франція

▶ **Pax,**
Сонома,
Каліфорнія

▶ **Mullineux,**
Свартленд,
Південна Африка

▶ **Jamsheed,**
долина Ярри,
Австралія

ОСНОВНЕ

☐ Нещодавно у винній крамниці мені сказали: «З Каберне все просто. Піно Нуар? Головне добре його представити. Але Шираз важко продати». Проте особисто я між звичайним Ширазом і звичайним Каберне завжди вибирав би перше. Каберне буває дещо масовим та однозначним, тимчасом як Шираз своєю вимогливістю буквально штовхає винороба на стараннішу роботу.

☐ Для мене Шираз – це Меріл Стріп серед вин! Якщо ви купили хорошу пляшку, вона буде такою ж елегантною і вражаючою, зі щирим характером і нотками чорних маслин (ця остання риса не має нічого спільного з Меріл). Ви не зможете говорити ні про що інше, окрім як про келих вина у вашій руці.

☐ Австралійський Шираз переживає ренесанс, та, на жаль, його небагато імпортують у США. Якщо вам хочеться чогось витонченішого, зверніться до Франції та Сономи.

ЧЕРВОНЕ ● ШИРАЗ

Неббіоло

КЛЮЧОВІ ФАКТИ

СМАК
Троянда
Фіалка
Журавлина
Вишня
Лакриця
Сухе листя
Дьоготь
Шкіра

ХАРАКТЕРИСТИКА
Квіткове
Ароматне
Фруктове
Землявисте
Танінне

ОСНОВНІ РЕГІОНИ ВИРОЩУВАННЯ
П'ємонт
Ломбардія

ІНШІ НАЗВИ
Спанна
К'явеннаска
Пікотендро

▶▶▶ *Вишукане вино за вишуканою, зазвичай, ціною. Коли ви вперше скуштуєте витримане Бароло чи Барбареско, то зрозумієте, чому винолюби їх обожнюють.*

Найароматніший червоний сорт Неббіоло — елегантний та структурований: з огляду на високу кислотність і багато танінів, під час дегустації наосліп його часто плутають з бургундським Піно, особливо витримані пляшки. (Однак через високу кількість танінів молоде Неббіоло може здатися шершавим; ці вина бувають похмурими і самозаглибленими підлітками, доки їм не виповниться п'ять років.) Сорт виник недалеко від містечка Альба в регіоні П'ємонт у Північно-Західній Італії, яка славиться своїми білими трюфелями. Здається, коли йдеться про смаки розкоші, те, що росте поруч, найкраще поєднується одне з одним.

Вважають, що Неббіоло дістало свою назву від слова «nebbia», італійською — «туман», який восени часто огортає цей регіон навпроти Альп, даючи винограду достигати повільно й довго. Бароло і Барбареско — найвідоміші апеласьйони, але коштують серйозних грошей. Це тривала винна інвестиція. Дайте йому

■ **шершаве**
Шершаве (шорстке) вино дає відчуття сухості, певної стягнутості, спричинене танінами, які в'яжуть білок на язику.

постаріти – ви подякуєте собі через двадцять, тридцять, сорок років! Поки що найкраще почати зі звичайного Неббіоло д'Альба – часто це молоді лози Бароло та Барбареско, умисне понижені виноробом. Спробуйте пошукати Пербакко від Vietti, неймовірна вигода приблизно за 25 доларів.

З огляду на те, що цей сорт має таке характерне місце зростання, його рідко побачиш поза межами Італії. Північніше трапляються деякі клони Неббіоло, як-от трохи легша Лампія, як і вина з назвами регіонів Ґемме та Ґаттінара. В альпійському кліматі провінції Ломбардія Неббіоло знане як К'явеннаска і виготовляється у радше сільському стилі (однак лишається не менш смачним).

ОСНОВНЕ

☐ **Міф: Неббіоло завжди дороге**. Виїдьте за межі Бароло та пошукайте Неббіоло д'Альба, і знайдете вигідні пропозиції. Або підніміться до північніших регіонів, щоб купити вина з Ґемме і Ґаттінари.

☐ Неббіоло ідеально пити восени до жирної їжі.

☐ Якщо трохи пошукати, можна купити витримані Неббіоло за невеликі гроші. Трапляються справжні скарби!

☐ Шукаєте вино, яке хочете трохи витримати? Неббіоло чудово підійде.

ЩО ШУКАТИ

▶ **Vietti,**
П'ємонт,
Італія

▶ **G. B. Brulotto,**
П'ємонт,
Італія

▶ **Clendenen Family Vineyards,**
Санта-Марія,
Каліфорнія

▶ **Antichi Vigneti di Cantalupo,**
П'ємонт,
Італія

▶ **Vallana,**
П'ємонт,
Італія

▶ **Ar.Pe.Pe.,**
Ломбардія,
Італія

ЧЕРВОНЕ ● НЕББІОЛО

■ **понижені**
Слабша, молодша чи старша за оптимальний вік лоза, вино з якої винороби самостійно декласифікують чи занижують за місцевою класифікацією, щоб обійти строгі вимоги сертифікації..

І ще трохи сортів, які заслуговують на нашу увагу

○

Асиртіко
Цитрусове, димне, зелене яблуко

Цей високоякісний білий виноград родом з грецького острова Санторіні поширився іншими островами і став дуже популярним. Я сприймаю його як грецьку версію шаблі, але з більшою пишністю фруктів через сонячне розташування. Чудово поєднується з морепродуктами. Вища кислотність сорту означає, що багато сомельє і винних професіоналів його справді люблять, тож ви дедалі частіше будете його бачити у списках вин. Ще одна прекрасна риса цих вин – вони недорогі.

Мої улюблені – Gaia Estate Thalassitis, Argyros Estate Atlantis White та Hatzidakis Santorini Assyrtiko.

Каберне Фран
Темні фрукти, пікантне, структуроване

Для тих, хто любить трохи гостроти та свіжості до темних фруктів. Оскільки вино з цього сорту із Бордо, який завезли туди з Іспанії, не так легко п'ється, його часто використовують для купажу з Каберне Совіньйон; на Правому березі за його допомогою додають гостроти маслянистому Мерло. Каберне Фран з прохолодніших регіонів і вінтажі часом мають рослинний, трав'янистий аромат (як-от болгарський перець або халапеньйо), який може декого відштовхувати, але зміна клімату, здається, вже вирішує цю проблему. У долині Луари шукайте апеласьйони Chinon, Bourgueil та міцне Saumur-Champigny. На узбережжі Тоскани ростуть насичені й соковиті Каб Фран, а от у Фріулі-Венеція-Джулія вони легші та пікантніші.

Ґаме
Фруктове, квіткове, цікаве

Це саме те, що ви п'єте у вині божоле. Ґаме радує своєю соковитістю і простотою – здається, його можна пити безкінечно. (У французьких колах «натуральних» виноробів таке легке вино називають глу-глу – з таким звуком вино ллється з горлечка прямо в горло.) До цього списку також варто додати невисоку ціну, адже ви можете знайти чудову пляшку менш ніж за $30. На відміну від вин із сусідніх місцевостей, Ґаме варто пити, коли воно молоде.

Регіон Божоле постраждав від серйозного спаду через ту ситуацію з Божоле Нуво, коли щойно закорковані пляшки випускали на всю Францію кожної осені, що супроводжувалося величезною рекламною метушнею. Але жменька виноробів відвойовує регіон у великих негоціантів. Погляньте на органічне вино від Марселя Лап'єра, Жана-Луї Дютрева, Жульєна та Антуана Сунье, Жана Фуаяра, і це лише кілька з них. У США деякі каліфорнійські винороби, наприклад, Пакс Мале та Арно-Робертс, виготовляють дуже цікаві Ґаме.

Санджовезе
Яскраве, землянисте, темно-червоні фрукти, чорний перець

Коли подорожуватимете Центральною Італією, особливо Тосканою, ваше червоне вино з великою імовірністю буде саме Санджовезе, або принаймні матиме цей виноград у своєму складі. Виразна кислотність і яскраво відчутні темні фрукти (на кшталт вишні або сливи) роблять його ідеальною базою для к'янті – назва і регіону, і вина, найменованого на його честь. Мій улюблений виробник – Montevertine, особливо їхнє Pian del Ciampolo початкового рівня, в основі якого Санджовезе. Fèlsina і Castello di Ama також роблять смачні к'янті. З клону Санджовезе Ґроссо, який тепер зветься Брунелло, виходять потужні вина, одні з найвідоміших в Італії. Також скуштуйте його молодшого брата Rosso di Montalcino. Особисто я обожнюю Санджовезе з Корсики (називають Нілюччо).

■ **негоціанти**
Винороби, які купують виноград з різних виноградників і використовують його для виробництва власного вина.

Лістан Бланко (Паломіно)
Цитрусове, солоне, освіжне

Існують чудові приклади модних нині вин з Канарських островів, зроблених із цього білого винограду, що дає мені надію на ринок нових іспанських вин. У регіоні Херес з однойменним вином цей виноград називають Паломіно Фіно. На своїй батьківщині це досить нейтральний сорт, але теруар Канарських островів додає Лістан Бланко індивідуальності. Скуштуйте вина від Envinate та Bodega Juan Francisco Fariña.

Мальбек
Темні фрукти, сміливе, пікантне

В Америці Мальбек перетворився на улюблене червоне відтоді, як каліфорнійське Каберне стало занадто дорогим. Цей виноград з'явився у південно-західному французькому регіоні Кагор, хоча сьогодні його зазвичай асоціюють з Аргентиною, де воно більш фруктове і яскравішого кольору. Мальбек дуже прямолінійне, соковите, пишне та досить просте вино. Воно може варіювати від дуже насиченого й концентрованого до майже рівня Піно. Це чудове вино до стейка, до того ж завжди за доступною ціною.

У Кагорі покуштуйте Château Lagrézette і Château de Haute-Serre. В Аргентині мені подобаються Luca, Mendel та Esperando a los Bárbaros від Michelini Bros.

Ґренаш
Ароматне, червоні фрукти, шкірка

Фруктовий сорт, переважно відомий головною роллю у потужному Châteauneuf-du-Pape, який у рідній Іспанії ще називають Ґарнаткса або Ґарнача. Цей виноград схильний розвивати високий рівень алкоголю і завжди подарує вам легкий присмак вишні або сливи. Йому притаманна елегантність, але відсоток алкоголю треба контролювати.

Альбариньйо
(Див. с. 107.)

Основні вино- робні області

▶▶▶ Походження вина суттєво впливає на його смак, орієнтуйтеся на це у винних картах і на полицях крамниць. На справжній дегустації (див. с. 228) ви відчуєте відмінності Шардоне з Франції та, скажімо, з Каліфорнії чи Південної Африки.

На смак вина впливають ґрунт, висота над рівнем моря та клімат, а також стиль і традиції виноробства, відмінні для кожного виногосподарства. А втім, кожній країні вдається зберегти впізнаваний смак. Приміром, австрійський Ґрюнер Вельтлінер має характерну мінеральність завдяки кам'янистому ґрунту, лесовим нашаруванням і австрійським екологічним практикам вирощування. Ґрюнер, що виріс на сонячних пагорбах Напи, матиме зовсім інший смак.

До безлічі виноробних регіонів щороку додаються нові. Завдяки зростанню популярності вина, тепер ви знайдете вина з Китаю, Швеції, Англії та багато інших. Я вкажу особливості та основні сорти винограду для кожної країни. Зауважте, які країни вас зацікавлять, і вирушайте в маленьку «подорож», замовивши наступний келих.

МІСЦЕВІСТЬ

КЛІМАТ

ҐРУНТ

Чинники впливу винних регіонів

▲
Теруар

▶ Теруар – один із тих страшних винних термінів, якими часто характеризують смак вина. Це французьке слово стосується того, як ґрунт, клімат і місцевість виноградника «відчувається на смак». Смак винограду не лише віддзеркалює специфічну мінеральність ґрунту (піщаного, глинистого чи вапнякового), на нього також впливають і мікроклімат, висота дозрівання над рівнем моря та розміщення виноградника. (Теорія про вплив мінералів на смак науково не доведена, 2013 року дослідники з UC Davis виявили, що гриби й бактерії можуть відігравати більшу роль у формуванні унікального смакового «геотегу» вин.)

Ось вам наочний приклад: французькі виноградники Батар-Монраше

та Б'єнвеню-Батар-Монраше, розділені стежкою завширшки зо два метри, але Батар розташований на пологому схилі над Б'єнвеню, а верхній шар ґрунту товщий та глинистіший унизу схилу. Звісно, це дорогий приклад, але ви можете знайти інших виноробів, які розливають вино з різних ділянок виноградника, та порівняти пляшки одного вінтажу.

Теруар відчутний і в їжі. Мій друг у цьому сумнівався, але захопився руколою з узбережжя Амальфі в Італії, де вона гостролиста й має дуже пікантний та інтенсивний смак. У готелі йому дали насіння, яке він висадив у своєму лондонському саду. Коли нарешті рукола дозріла посеред сірої, холодної англійської весни, він розчаровано виявив округле листя на смак, як із супермаркету. Я засміявся і сказав: «Ти забув узяти до уваги теруар! Просто висадивши виноградні лози з Château Pétrus у Лондоні, ти не зможеш виготовляти вино світового класу».

●
Теплий vs прохолодний клімат

▶ Те, пережили лози довге, спекотне і посушливе літо, а чи коротке й дощове, має великий вплив на солодкість вина, кислотність, консистенцію та навіть рівень алкоголю. Теплий клімат зазвичай породжує яскравіші, м'якші смаки й міцніші вина, тимчасом як нижчі температури означають більше свіжості фруктів та енергійнішу кислотність, не кажучи вже про нижчий рівень алкоголю.

Хотілось би, щоб усе було так просто, як скласти карту світу, що акуратно розділилася б на теплий і прохолодний клімат, але висота над рівнем моря і близькість до води в межах регіону вносить змінні в це рівняння. (Подумайте про сонячну Долину Сономи і туманне узбережжя...) І, якщо заглиблюватися далі, у теплому кліматі може бути холодний рік, і навпаки. Вибухає мозок? Ласкаво просимо на мою роботу.

А ЧИ ЗНАЄТЕ ВИ...

...що виноград може дістати сонячні опіки? І це направді не дуже добре: затвердлі шкірки і цукриста м'якоть принаджують ос, які залізають у виноград, піддаючи його впливу кисню, що створює шалену кислотність та оцтові сполуки – такі смаки точно нікому не подобаються.

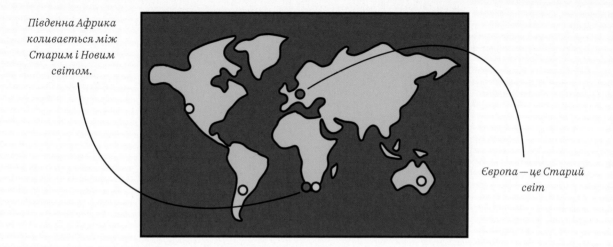

Південна Африка коливається між Старим і Новим світом.

Європа — це Старий світ

Що там з Новим / Старим світом?

▶ Загалом, будь-яке вино, не виготовлене в Європі, вважають вином Нового світу. Колись винні сноби вважали вина Старого світу найкращими, а Нового — дешевшими та менш якісними. Сьогодні навіть вони визнають, що неймовірні вина виготовляють по всьому світу.

Для узагальнення ми говоримо, що країни Нового світу мають теплий клімат (погляньте на Австралію, Каліфорнію у США та Аргентину), а в Старому погода прохолодніша. Звісно, в кожній країні є винятки. З глобальним потеплінням ні в чому не можна бути впевненим, а смаки міняються з кожним роком: тепер можна знайти вина з Правого берега Бордо з типово каліфорнійськими 15–16 % алкоголю завдяки рекордно спекотним літнім сезонам, і деякі винороби збирають урожай раніше, просто щоб зберегти трохи кислоти.

Також панує думка, що вина Нового світу мають пишніший смак фруктів, а отже, міцніший алкоголь завдяки вищому вмісту цукру, і що винороби з цих країн люблять додавати дуб. Але все змінюється, надто в Каліфорнії та окремих частинах Австралії. Уявлення, що всі червоні з Нового світу густі та «джемові», — цілковита нісенітниця! Проте я можу відчути стиглість каліфорнійського винограду навіть у винах, виготовлених у більш європейському (менш дубовому) стилі. І вважаю, що вина Нового світу зазвичай мають простіші аромати й менш схильні показувати свій тероар.

Це не буде узагальненням, якщо я скажу, що Старий світ прив'язаний до винних законів. Винороб з Нового світу може покласти недозрілий виноград у пюре, щоб збалансувати врожай теплого року, або «додати кольору» у своє Піно темнішим виноградом, щоб воно було якіснішим на вигляд. У Франції за таке його відправлять до в'язниці.

Є країна, ідеально розташована на межі смаків Старого й Нового світу. Серед сомельє кажуть, якщо під час дегустації наосліп ви не впевнені, з якого світу вино, подумайте про Південну Африку! Місцеві вина поєднують пишність теплого клімату з елегантністю прохолодного — часом це приголомшлива комбінація.

СПИТАЙТЕ В АЛЬДО

Чи є регіони, щодо якості надійніші за інші?

■ **Бордо** на першому місці в моєму списку, хоч я й ненавиджу це визнавати! (Сподіваюсь, Ерік Ріперт не прочитає цієї сторінки: я з першого дня в Le Bernardin сперечався з ним щодо його любові до Бордо!)

■ **Австрійські білі** неймовірно надійні, хай яка низька в них ціна.

■ **Узбережжя Сономи** досить послідовне, хоча це залежить від виробника.

■ Купуючи **Мальбеки з Мендоси**, ви знаєте, що отримаєте. Чи найкращі вони? Ні, але надійні.

■ **Долина Луари** досить стабільна, особливо в Сансері.

■ **Тоскана** може бути безпечною – за вищу ціну.

■ **Новозеландські Совіньйон Блани** досить прямолінійні. Подобаються вони вам чи ні, це вже інша річ!

Усе про апеласьйон

▶▶▶ Щойно ви почнете вивчати найкращі вина світу, відразу ж почуєте про Францію. Це перша країна, яка створила систему апеласьйон, тобто вина аналізують і досліджують відповідно до їхнього теруару (ґрунт, клімат, витримка та консистенція вина протягом десятиліття). Спочатку її називали AOC (Appellation d'Origine Controlée), а нещодавно це позначення змінили на AOP (Р – тобто «Protégée», або «захищені»). Ця система строго класифікувала села, сорти, врожайність, мінімальний рівень алкоголю і типовість вина. Французькі виробники не можуть садити будь-який виноград, який вони захочуть, адже в такому разі їхнє вино буде вилучено, а апеласьйон – видалено. Однак більшає молодих «натуральних» виноробів-бунтарів, що гордо позначають свої вина багатозначними етикетками «Vin de Pays» («вино з країни») або «Vin de France» («вино з Франції»), які вважають найнижчими за класифікацією.

В Італії запаморочливу кількість місцевих сортів охороняють законами DOC (Denominazione di Origine Controllata), подібними до французьких AOP. Окрім того, тут створили ще й інші для «особливих» вин: DOCG (Denominazione di Origine Controllata e Garantita). В Італії уряди змінюються швидше, ніж устигають ухвалити закон, тому ця система відстає від ринку, що підтримує виноробів. Коли французький виноград Каберне Совіньйон, Мерло й Шираз транспортували до Тоскани, його позначали як «Vino da Tavola» («столове вино»), бо ці сорти не були закріплені законом. Це також означало, що передові вина Італії, як-от супертоскана – купажі з французькими сортами, – та звичайні вина в картонних коробках опинялися в одній категорії. Саме тоді для їх відокремлення було створено IGT (Indicazione Geografica Tipica). Це чітке позначення регіону / місцевості в найменуванні без подальших уточнень.

Говорячи про офіційно визначені виноробні регіони США, найближчою до європейської системи найменувань можна назвати AVAs (American Viticultural Areas), де обмеження легко регулюються. Зверніть увагу, що жодне з цих найменувань не вказує на якість чи переваги. Ці ярлики більше говорять про національну гордість за свій унікальний виноград.

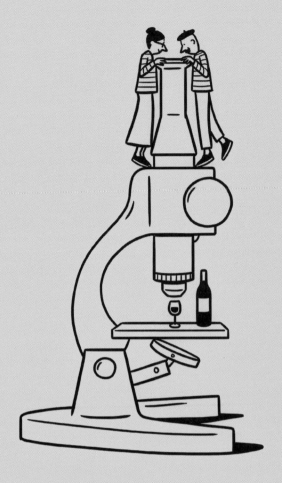

■ апеласьйон
Визначена законом географічна локація, яка позначає місце зростання винограду. У Франції апеласьйон, відомий як AOC або AOP, може диктувати особливий стиль вина.

■ типовість
Характер вина, властивий його стилю чи регіону.

■ вилучення
Вина «понижують» або «декласифікують» на винограднику, коли настає час викопувати старі лози та висаджувати нові. Такий виноград продовжують вирощувати, скажімо, на виноградниках Бароло, але більше не називають Бароло, що впливає на ціну. Провідні виробники з цих молодших лоз можуть робити дуже смачні вина базового рівня. Тож у такому розумінні це не конче щось погане.

■ AVAs
«American Viticultural Areas» (Американські виноробні регіони), або місцева система найменувань у США. У ній вказано визначені державою регіони вирощування винограду.

Франція

▶▶▶ **Вино народилося
у стародавній Грузії. Звісно,
пізніше греки та римляни
продовжили його розвиток,
але відточували техніки
вирощування і виноробства
впродовж століть, ба навіть
ціле тисячоліття , французи.
Ось чому на сьогодні саме
французів найбільше
асоціюють з майстерністю
і мистецтвом вина, не кажучи
вже про стиль життя.**

Сьогодні в будь-якому куточку
світу можна знайти виноробів,
які садять Піно Нуар, Каберне
Совіньйон, Шираз та Шардоне.
Усе це французькі сорти!
І витримують вина в дубових
бочках. Також французьких!
І будують цілі розкішні концерни
з плодів своєї праці. Дуже по-
французьки.

У Франції одинадцять
ключових виноробних
регіонів, кожен зі своїм
особливим ґрунтом,
кліматом та підходом.
Від великих шато Бордо
і Бургундії до дрібних
фермерів з «натурального»
руху в регіонах Овернь і Юра –
усім доводиться мати справу
зі змінами погодних умов,
які потребують виняткової
уважності. Цю турботу та
гордість можна відчути
на смак.

Франція зберігає традиції
і водночас розвивається.
Якщо вам колись пощастить
почути, як Александр Шартонь
розповідає про те, як багато
часу він присвятив вивченню
своїх виноградників, ви будете
шоковані. Ці винороби віддані
своїй землі та хочуть передати
її наступним поколінням.

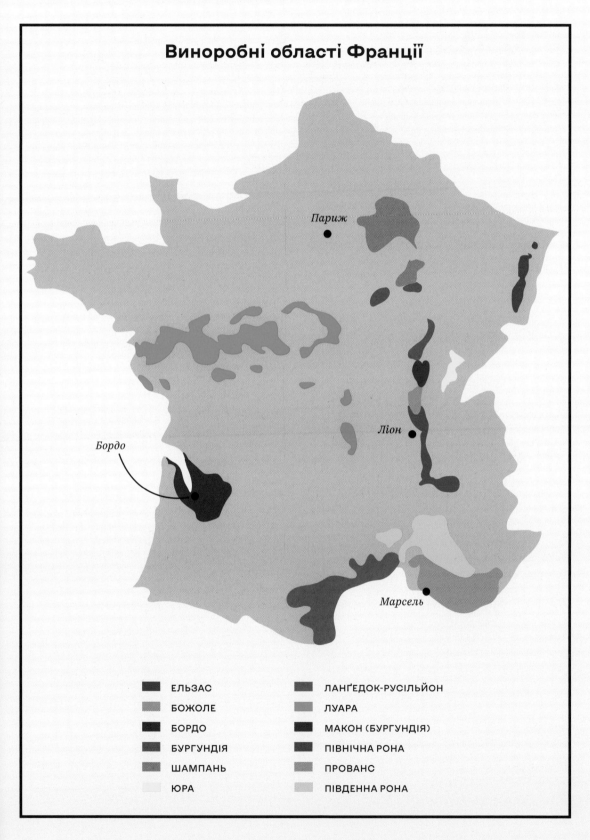

Виноробні області Франції

Париж

Бордо

Ліон

Марсель

ФРАНЦІЯ

■ ЕЛЬЗАС	■ ЛАНҐЕДОК-РУСІЛЬЙОН
■ БОЖОЛЕ	■ ЛУАРА
■ БОРДО	■ МАКОН (БУРГУНДІЯ)
■ БУРГУНДІЯ	■ ПІВНІЧНА РОНА
■ ШАМПАНЬ	■ ПРОВАНС
■ ЮРА	■ ПІВДЕННА РОНА

● Ельзас

▶ **ЧЕРВОНЕ**
Піно Нуар

БІЛЕ
Рислінг,
Ґевюрцтрамінер,
Сільванер, Піно Ґрі,
Піно Блан, Мускат

Трохи французьких традицій, трохи німецької толерантності до залишкового цукру – ельзаські вина насичені й легко поєднуються з їжею.

Цей північно-східний регіон на кордоні з Німеччиною довго передавали туди-сюди між двома державами. Одним з (багатьох) наслідків стало те, що це єдиний французький регіон, який позначає вина назвою сорту, як це робиться в Німеччині, а не апеласьйоном. Дев'яносто відсотків місцевих вин білі. Колись вони були переважно десертними, але в наші дні актуальнішим став чистий, сухуватий, ароматний стиль, у якому часто відчутно медовий димний запах. (Загалом починаючи з 2008 року стандартні Рислінги мусять бути сухими.) У регіоні п'ятдесят один ґран крю, про що буде написано на етикетці, і всі вони набагато доступніші, ніж Бургундія. Як каже моя колега з Le Bernardin Сара Томас, Ельзас – це чудовий початок для людей, які не хочуть куштувати Рислінг, тому що він занадто солодкий.

■ **ґран крю**
Чітко визначена виноробна зона високої якості. Прем'єр крю – рейтинг, нижчий за ґран крю.

● Бургундія

▶ **ЧЕРВОНЕ**
Піно Нуар

БІЛЕ
Шардоне, Аліготе

Величний регіон Бургундії виробляє найкращі вина у світі – як червоні, так і білі.

На мальовничих передгір'ях і рівнинах Бургундії століттями триває завзята погоня за якістю. Відданість виноробству, його давня історія та відносно прохолодний клімат виливаються в найкращі вина у світі. Річ не в потужності, а в майстерності й у тій розкоші, що переповнює келих. Криваво-червоне бургундське Піно Нуар, із ідеально інтегрованими танінами, спокусливо делікатними фруктами та трюфельною ноткою, або чудове Шардоне з ароматами ірисок, зелених фруктів і жимолості – усі бургундські небезпідставно шалено дорогі й бажані.

Через багаторівневість організації знадобиться певний час, щоб зрозуміти цей особливий регіон, між Діжоном і Маконом. Бургундія (яку французи називають Бургонь) налічує чотири регіони, або п'ять, якщо враховувати Божоле: Кот-д'Ор, Кот Шалоннез, Кот Маконне та додатковий апеласьйон Оксеруа. Нібито й просто, але, скажімо, виноградники на сході Кот-д'Ор поділяють на Кот-де-Нуї (переважно червоні) і Кот-де-Бон (червоні та білі). Провідні виноградники класифікують як прем'єр крю і ґран крю. І так далі.

Навіщо людям про це знати? Що ж, скуштуйте самі найкраще – а отже, найдорожче – бургундське Піно Нуар і потужне, витримане в дубі Шардоне, і ви зрозумієте, чому дехто готовий присвятити роки вивченню хитросплетіння найменувань цього регіону.

Усе про крю

▶▶▶ У найзагальнішому значенні крю, або «ріст», означає те, як група винних брокерів середини 1800-х років класифікувала виноградник з теруаром найвищого рівня – найкращий виноград, ґрунт, освітлення, – з ягід якого стабільно виробляють високоякісні вина. І Бордо, і Бургундія використовують власну систему класифікації крю, де на вершині списку ґран крю («великий ріст»), за нею прем'єр крю, назва селища і назва регіону.

Чи варто платити значно більше за пляшку з шато, яке високо оцінювали в 1855 році? Усе залежить від винороба. Скажімо так: кобе вважають найкращою яловичиною у світі, але якщо шеф-кухар пересмажить його, вийде не краще, ніж м'ясо з місцевого стейкхаусу.

Настільки врегульована система діє в небагатьох інших країнах. Італія може поставити позначку «крю» на вино з одного виноградника, але це не знак якості. Найближчими до цього є Grosses Gewächs («GG») з Німеччини та Erste Lage з Австрії. Ці терміни мають і інші значення, наприклад, той факт, що статус ґран крю затверджує держава, а Grosses Gewächs – приватний клуб, але це вже зовсім інша історія...

Як орієнтуватися в Бургундській класифікації крю?

Що раджу я? Найкраще працювати над цим повільно й послідовно рухатися за рейтингом, доки не досягнете вершини, і так по-справжньому збагнути відмінності. Почніть із пляшки з етикеткою «Bourgogne blanc» (або «rouge») з виноробні поза класифікацією, часто розташованої в передгір'ї або на рівнині. Якщо вам сподобається, далі спробуйте рівень селища, з виноробні конкретного села, яке лежить (дуже бажано) ближче до пагорбів. Ви точно помітите більшу насиченість. Наприклад, Шардоне будуть не такі легкі й цитрусові. Ви можете знайти чудові та якісні вина цього рівня, особливо понижені вина від знаменитих виробників. Тепер скуштуйте вина lieu-dit (виноробня поза класифікацією), перш ніж підніматися до першокласних маєтків на пагорбах, прем'єр крю і зрештою ґран крю. Останні – з винограду з середини пагорба, де сонце освітлює лози під ідеальним кутом, а земля родюча завдяки дощовому змиву. Також вони найдорожчі: доставте один нуль (або два... або три) до ціни, яку ви платите за Біле бургундське. А тепер вирішувати вам, чи воно того варте!

крю
Французькі виноградники, відзначені за виключно високу якість, згідно із системою класифікацій з 1800-х.

Божоле

► **ЧЕРВОНЕ**	**БІЛЕ**
Ґаме	Шардоне

Від слабкої репутації до синоніма легких, цікавих і доступних червоних вин.

Цей район у центральній частині Франції, на південь від Бургундії, за останнє десятиліття зазнав значних змін. Колись він асоціювався з дешевим вином, яке продавали практично відразу після розливу, але тепер народжений там виноград Ґаме ввійшов у моду. Цей район надзвичайно приємно відвідувати і зустрічати фантастичних людей, що роблять смачні та невибагливі вина. Хоч там і залишається чимало винних негоціантів, багато малих виробників заповзятливо трудяться, а рух «натурального» виноробства зародився саме тут. Ви нечасто натрапите на хороше вино, підписане «Божоле». Натомість шукайте один із десяти крю з Божоле, як-от Морґон, Флері, Реньє та Мулен-а-Вен.

Бордо

► **ЧЕРВОНЕ**	**БІЛЕ**
Каберне Совіньйон, Мерло	Совіньйон Блан, Семільйон

Видатне та яскраве. Королі століттями пили ці потужні вина не без причин.

Легендарні вина цього регіону на південному заході заслуговують на особливе визнання за свій довгий післясмак і прекрасну поведінку в келиху. Вина з Бордо – це еталон класичних вин, які стабільно добре старішають. (Якщо ви запитаєте в критиків про їхній топ-10 за все життя, обіцяю, там буде принаймні два бордо.) У регіоні чудовий теруар і доступ до прохолодного океанського бризу, корисного для винограду, до того ж там почали виробляти вино ще до 1700-х років, тож встигли зрозуміти, що до чого. Близькість до гавані означає, що місцеве вино століттями продавали британцям, які мають вельми вишукані винні смаки. Планку вже давно встановили дуже-дуже високо, і далі дотримуються традиційних технік, щоб відповідати класичним стандартам.

КОТ РОАНЕЗ

Божоле вже не вважають чимось новим. Але в Кот Роанез у долині Луари виробляють смачні та спокійні Ґаме. Мій улюбленець – Domaine Sérol: ці вина спокушають своєю легкістю. Недорого й дуже смачно! Я особливо люблю їхнє Éclat de Granité, що коштує приблизно 21 долар за пляшку.

Лівий і правий береги Бордо

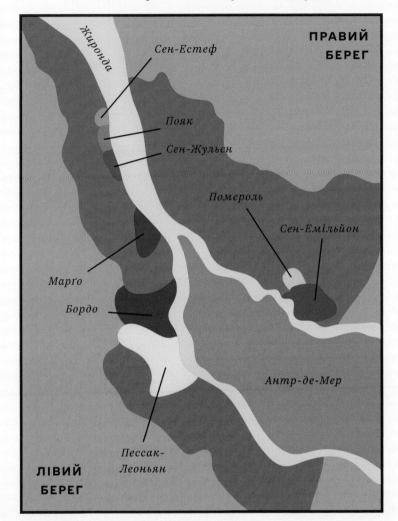

Жиронда

ПРАВИЙ БЕРЕГ

Сен-Естеф

Пояк

Сен-Жульєн

Помероль

Сен-Емільйон

Марґо

Бордо

Антр-де-Мер

Пессак-Леоньян

ЛІВИЙ БЕРЕГ

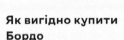

ВАЙНХАК АЛЬДО

ФРАНЦІЯ

Як вигідно купити Бордо

Щойно ви зрозумієте, що любите бордо й готові на нього витратити трохи більше, не зациклюйтесь на недавніх вінтажах, які розбирають швидше, ніж квитки на «Гамільтона». Натомість ви знайдете надзвичайно якісні старі бордо, часто за значно меншу ціну, ніж нові пляшки. І оскільки бордо з віком тільки кращає, ви купуєте те, що можна відразу ж пити. Безпрограшний варіант!

Цей регіон не так складно зрозуміти, як Бургундію. Лиман Жиронда розділяє Бордо на лівий і правий береги. **Лівий берег з домінуючим Каберне Совіньйон** (апеласьйони Сен-Жульєн, Сен-Естеф, Пояк, Марґо та Пессак-Леоньян) значно комерційніший, де найвідоміші шато були поглинуті елітними конгломератами. **На більш схильному до Мерло правому березі** (Помероль, Сент-Емільйон) переважають малі, винороби-крафтярі якраз у моєму дусі. Також варто згадати регіон Антр-де-Мер: місцеві господарі виготовляють недорогі білі вина з етосом, далеким від туристичних шато з іншого боку Жиронди.

Виробники в Бордо називають свої виноробні шато, або «замки», але часто це просто звичайний будинок. Медок класифікували в 1855 році, і відтоді внесли мало змін, тож не зациклюйтесь лише на прем'єр крю, бо ж у винарнях давно вже змінилися власники. Наприклад, Château Pontet-Canet, визначений як крю п'ятої категорії, перетворився на біодинамічне господарство з прогресивними підвальними методами, і на сьогодні став зіркою Пояка.

89

Cristal стає на 100%
біодинамічним
з 2020-го.

Шампань

▶ **ЧЕРВОНЕ**
Піно Нуар,
Піно Меньє

БІЛЕ
Шардоне

**П'ять моїх
улюблених
домів
Шампані**

Louis Roederer
Deutz
Dom Pérignon
Krug
Billecart-
Salmon

**Шість моїх
улюблених
виноградарських
виноробень
Шампані**

Agrapart & Fils
Chartogne-Taillet
Frédéric Savart
Bérêche & Fils
Pierre Péters
Christophe
  Mignon
  (найкраща якість
  за 50 доларів)

Так само, як шампанське не тільки призначене для днів народження та новорічних ночей, цей регіон не обмежується розкішними комерційними домами. Інді-вискочки перевернули гру з ніг на голову.

Шампань – область години за півтори на схід від Парижа. Римляни відвели її під виноробство останню, бо тут надто холодно. Будь-яке вино з бульбашками, виготовлене поза Шампанню, зветься ігристе (або креман, якщо походить з одного з восьми інших визначених регіонів). Зазвичай це поєднання трьох основних сортів – та всередині регіону дозволено ще чотири.

У середині 80-х комерційна Шампань пережила революцію, коли Ансельм Селосс узявся за фамільні виноградники ґран крю. Він відмовився від щедрих урожаїв неякісного винограду, на користь якості грон і органічного землеробства. Він скоротив кількість нових дубових бочок для витримки вин і додавання діоксиду сірки. Тоді Селосса вважали єретиком, а 1994 року назвали Найкращим виноробом Франції в кожній категорії – нечувана честь. Сьогодні ви знайдете тут не лише поодиноких бунтарів, як Селлос, іменитими виноробами теж почали наслідувати його приклад.

(КОРПОРАТИВНІ) ДОМИ, ЯКІ ЛЮБЛЯТЬ ВИНОГРАДАРІ

▶ Тиждень подорожуючи Шампанню, я питав кожного виноградаря, який великий дім вони поважають найбільше. Відповідь була одностайна – чого ніколи не буває з фермерами! Усі назвали Louis Roederer. Половину свого винограду вони вирощують органічно і керуються прогресивною філософією. Вони спілкуються зі своїми виноградарями, влаштовують семінари, платять хорошу зарплатню. З величезною повагою ставляться до майстрів винного льоху. А ще вони хороші люди. Регіоном Шампань керують гроші, але Roederer – це один з невеликих домів, де якість понад усе.

Випийте кілька келихів, і ви зрозумієте французький вислів «З бургундським ви думаєте дурниці. З бордо — говорите дурниці. З шампанським ви їх робите».

Чому я люблю фермерське шампанське

▶▶▶ Якщо ви були в незалежному винному магазині, то напевно не змогли розпізнати багатьох етикеток на полицях із шампанським. Це тому, що деякі з найбільш цікавих вин походять з невеликих виноградників, де чоловіки й жінки трудяться над шампанським із неймовірним характером та милими дивацтвами, яких ви ніколи не знайдете у великих домах. Простіше кажучи, фермерське шампанське виробляють невеликі господарства зі своєю землею, які виготовляють, продають і рекламують власне вино. Спочатку я зупинявся на великих домах, бо вони послідовніші, але з часом пристрасно закохався у фермерські шампанські.

Подумайте про це так: такі доми, як Moët & Chandon, Veuve Clicquot та інші, – це елітні компанії, які мусять стабільно виробляти ідеальний продукт, вартий своєї ціни. Вони скуповують виноград з усього регіону, поєднуючи декілька вин, поки не отримають правильну суміш – ту, яку споживач одразу ж оцінить. Погляньмо правді в очі: ми живемо у світі, де нам хочеться отримувати той самий смак... усе життя!

Брендові шампанські зазвичай трохи солодші. Бо, на відміну від виробників з урожаїв свого виноградника, шампанські доми змішують виноград з усього регіону, що не обов'язково достигає. І щоб збалансувати різку кислотність винограду, додають цукор.

Я думаю про шампанське з невеликого господарства, де часто вдаються до біодинамічного вирощування, як про яблука з фермерського ринку: вони можуть мати коричневу пляму й не лежати у формі відполірованої піраміди, але смак чудовий, і я знаю, що їх не обробили вагоном хімікатів, не зібрали ще зеленими, не вкрили воском і не привезли з Південної Америки. Просто факти!

Якість фермерських шампанських коливається залежно від погоди того року, що певною мірою перетворює їх на лотерею.

Я закликаю вас скуштувати самостійно. Зробіть паралельну дегустацію, скажімо, пляшки Moёt початкового рівня та Chartogne-Taillet Sainte Anne Brut. Сподіваюся, ви погодитеся зі мною, що краса в малому.

ФРАНЦІЯ

○ Юра

▶ **ЧЕРВОНЕ**
Піно Нуар,
Пульсар,
Труссо

БІЛЕ
Шардоне,
Совіньйон

Якщо ви любите «натуральні» вина, цей регіон вам захочеться дослідити – особливо білі.

▶ Дуже індивідуалістичні вина від малих виробників домінують у цьому прикордонному зі Швейцарією регіоні на схід від Бургундії, усього за годину їзди від Женеви. Бургундські вина чимраз дорожчають, тому люди захотіли альтернатив – і знайшли чудові та мінеральні вина цієї місцевості.

● Лангедок-Русільйон

▶ **ЧЕРВОНЕ**
Ґренаш,
Шираз,
Каріньян,
Сенсо

БІЛЕ
Ґренаш Блан,
Мускат

Тут можна знайти шалено вигідні варіанти в морі посереднього вина.

▶ Цей великий регіон на південному заході завжди боровся з репутацією виробника вина для оптових партій. Але тут чудовий тераур із багатьма виноградниками на вапняку, а сонячний клімат Французької Рив'єри робить вина трохи міцнішими. За останнє десятиліття тут з'явилося багато цікавих виноробень, чия продукція досить недорога для своєї якості. Але тут доведеться скуштувати чимало вин, щоб знайти хороше. Апеласьйони Мінервуа, Фожер, Сен-Шиньян і Корб'єр виробляють дуже цікаві, в основному купажні вина, насичені й багатогранні. Пошукайте пляшки від La Grange des Pères.

САВОЯ

▶ Регіон Юра вже відомий своїми авантюрними білими. Але сусідня Савоя з її місцевими білими сортами – ось що насправді цікаво в наші дні. Там Domaine Belluard зосереджується на білому винограді Ґріжне (grignet), висвітлюючи його унікальну особистість. (Скуштуйте їхнє ігристе Les Perles du Mont Blanc.) Domaine des Ardoisières працює над місцевими і також рідкісними сортами, як-от червоний виноград Персан (persan), висаджений чіткими мікроділянками.

Луара

► ЧЕРВОНЕ	БІЛЕ
Ґаме, Каберне Фран, Піно Нуар	Совіньйон Блан, Шенен Блан, Мелон де Бургонь (Мюскаде)

Вас чекають доступні, недорогі та смачні відкриття, надто коли йдеться про «натуральне» вино.

► Усіяна шато місцевість навколо Луари на південь від Парижа – одне з наймальовничіших місць у Франції, де пустив коріння рух «натурального» виноробства, регіон поділяється на чотири дуже відмінні області.

На Центральних виноградниках (над річкою), знаменитих завдяки Сансеру і Пуї-Фюме, виробляють одні з найкращих у світі Совіньйон Блан та Піно Нуар.

Скуштуйте Совіньйон Блан з Менету-Салон – це чудові й недооцінені вина.

У туренському регіоні виробництво багатосортове, вина від сухих до десертних. Вувре, Монлуї та Шенен Блан використовують для сухого (sec), напівсухого (demi-sec) і десертного (moelleux). Ці прекрасні вина завдяки високій кислотності чудово старіють.

Шинон і Бурґей відомі червоними винами з Каберне Фран, які часто мають аромат болгарського перцю. Анжу та Сомюр, де поширені Каберне Фран і Ґаме, є домівкою чи не найкращого Шенен Блан.

Нижче по Луарі до регіону Мюскаде росте місцевий Мелон де Бургонь (не має нічого спільного з Бургундією). Абсолютно сухе, надзвичайно свіже й пікантне вино з нього ідеальне до морепродуктів. Навдивовижу, воно не дуже популярне, а це означає, що його можна знайти за чудову ціну!

Макон і Шалоннез

► ЧЕРВОНЕ	БІЛЕ
Піно Нуар	Шардоне, Аліготе

Доступна альтернатива в Бургундії.

► Якщо вам хочеться хорошого французького Шардоне або Піно менш ніж за 100 доларів, шукайте тут. У цьому регіоні немає місцевостей ґран крю, та це не означає брак якості. На півночі ви знайдете справді цікаві Шардоне від зазначених в АОР Рюллі, Меркюре та Монтаньє до Кот-Шалоннез – вони не такі складні, як вина з Кот-д'Ор, але їх точно цікаво пити, а їхню ціну легше проковтнути.

Традиційний кір (коктейль-аперитив) виготовляють з цитрусового, освіжного білого Аліготе з Бузерона – просто додайте до келиха ложечку лікеру «Крем де Кассіс». Муніципалітет Живрі виготовляє одні з найцікавіших червоних вин цього регіону. Скуштуйте пляшку від Domaine Joblot.

Регіон узбережжя Макон перетворився на нову гарячу точку виготовлення цікавих Шардоне від таких відомих виробників з Кот-де-Бона, як Лафон та Лефлейв, що інвестують у регіон.

ФРАНЦІЯ

⬤ Північна Рона

▶ **ЧЕРВОНЕ**	**БІЛЕ**
Шираз	Віонье, Марсан, Русан

Вина в цьому надзвичайно строкатому регіоні варіюють від елегантних до яскравих, включно з деякими найвідомішими у світі Ширазами.

▶ Це менший з двох регіонів Рони — і, мушу зізнатися, мій улюблений. Чому? Насамперед, більшість із місцевих найменувань походять від невеликих виноробень. Гранітний ґрунт цих крутих пагорбів породжує харизматичні, часто потужні вина з «гранями», як я люблю називати якості, що змушують зупинитись і замислитися.

З винограду Віонье виробляють вина Кондріє з ароматом персика і малою кислотністю, а Марсан і Русан використовують для створення величного Ермітаж Блан. (Саме тут Domaine Jean-Louis Chave розливає одне з тих вин, які я взяв би з собою на безлюдний острів.)

Червоні вина з Північної Рони потрапили до моїх абсолютних улюбленців — скажімо так, вони становлять принаймні 50 % червоних у моєму домашньому льосі! Я люблю їхні насичені, концентровані смаки, у яких магічно поєднується сильно виражена кислотність і яскравість фруктів. Більше ніде не знайдеться таких характерних вин із Ширазу, як у цьому регіоні з крутими схилами. Ароматні та елегантні вина мають апеласьйон Кот-Роті; проїдьте годину на південь — і будуть вам величні Ермітажі та могутні Корнаси. (Просувайтеся вперед до пляшок від Domaine Jamet, Ogier, Thierry Allemand і Noël Verset.)

Ці вина можуть дорого коштувати, але навколо багато вигідних пропозицій. Залишайтеся в місцевості Сен-Жозеф і скуштуйте вироби Domaine Monier Perréol, Pierre Gonon і негоціанта Domaine Chave. Колін-Роданьєн також пропонує хіти за безцінь: такі виробники, як Domaine Jamet та Domaine Faury, створюють легші, чутливіші до цін версії grands vins («великих вин»).

◯ Південна Рона

▶ ЧЕРВОНЕ	БІЛЕ
Ґренаш, Шираз, Сенсо	Ґренаш Блан

Місце народження Ґренаш – від скромного до королівського.

▶ Тимчасом як вина з Північної Рони буває складно купити через обмежений розлив, на півдні все зовсім навпаки. Цей великий регіон, підставлений поривам холодного вітру містраль з півночі та зігрітий теплим піщаним ґрунтом, виробляє майже такі ж об'єми вина, як бордо – переважно ситне, міцне, недороге вино Кот-дю-Рон.

Найзнаменитіший у регіоні апеласьйон Шатонеф-дю-Пап – це купаж на основі Ґренашу, в який входить близько тринадцяти сортів. Тонкошкірий виноград Ґренаш відомий винами світлого кольору та високим умістом алкоголю, що піднімається до 16%. Нижче і на схід від Шатонеф-дю-Пап розташований Жиґондас, що славиться своїми потужними червоними. Тавель – апеласьйон справді розкішних розе, що готуються в основному з Ґренашу й Сенсо.

⬤ Прованс

▶ ЧЕРВОНЕ	БІЛЕ
Мурверд, Шираз	Марсан, Русан, Ґренаш Блан, Уньї Блан, Верментіно, Семільйон Кларет

Прованс – то не лише розе.

▶ Цей приголомшливий сонячний регіон найбільш знаний своїми легкими для пиття рожевими, а це означає, що його довго недооцінювали – до цього часу. Звичайно, у Провансі море іменитих виробників, але там також багато дуже цікавих, вартих уваги виноробів, у яких можна купити багато вина не за всі гроші світу. Triennes, що належить бургундському виробнику з репутацією Domaine Dujac, продають вина за 16–19 доларів. Те саме стосується пляшок від Château de Pampelonne. Моє улюблене рожеве з верхньої полички, Domaine Tempier з Бандоля, розкриває в келиху фруктовий смак і багатогранність.

Червоні Бандоль від Domaine Tempier іще культовіші. На більшість прованських потужних, однак легших червоних вин впливає сорт Мурведр, даючи насиченість і прикопченість, що трохи нагадує бекон. Вони чудово смакують як молодими, так і витриманими. Якщо їх трохи охолодити, ці вина дуже смачні з рибою.

Якщо ви поїдете на західний край цього неочікувано різноманітного регіону до мальовничого Ле-Бо-де-Прованс у дельті Рони, не пропустіть Domaine de Trévallon. Вони недешеві, але не розчарують. Обмежений бюджет? Les Amis із Сюлоза – це надійне «натуральне» вино, що коштує трохи більше 20 доларів.

ФРАНЦІЯ

Італія

▶▶▶ **Італійці краще, ніж будь-хто інший, уміють продавати спосіб життя та емоції – і це не обмежується вином.**

Нам може здаватися, що все закінчується на Просекко, Піно Ґріджіо та к'янті, але ця величезна, надзвичайно різноманітна країна має безліч місцевих сортів, які звертають зі второваної стежки. У країні понад 350 дозволених сортів, плюс іще 500 задокументованих. Після того як у 1980-ті й 1990-ті роки винороби включилися у глобальну гру, вирубуючи місцевий виноград і висаджуючи придатніші для масового ринку сорти, як-от Каберне Совіньйон, діти деяких з них намагаються відновити порядок і повернутися до того, що найкраще прижилося в їхньому регіоні за століття. Як і італійська їжа, італійське вино має дуже специфічні для кожного регіону стиль і смак, що дарує незабутні враження.

Не існує країни з більшою кількістю сортів, ніж Італія. Вам знадобиться справжня відданість і багато часу, щоб пізнати їх усі. Вони вплетені в культуру кожної провінції з часів античних римлян, які поширили виноробство всією Європою. Найвідоміші регіони – П'ємонт і Тоскана з їхніми всесвітньо відомими винами, зокрема Бароло, Барбареско, Брунелло ді Монтальчіно та супертоскани, але тут я часто цілковито задовольняюся простим домашнім вином, на яке натрапляю в кожному місцевому ресторані. Ключ до Італії – дослідження маловідомих сортів!

Винні регіони Італії

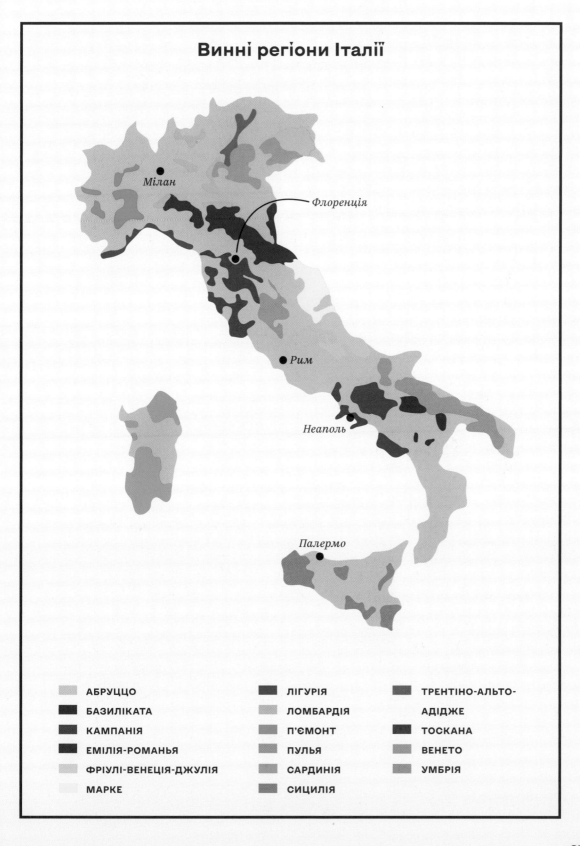

Мілан

Флоренція

Рим

Неаполь

Палермо

ІТАЛІЯ

АБРУЦЦО	ЛІГУРІЯ	ТРЕНТІНО-АЛЬТО-
БАЗИЛІКАТА	ЛОМБАРДІЯ	АДІДЖЕ
КАМПАНІЯ	П'ЄМОНТ	ТОСКАНА
ЕМІЛІЯ-РОМАНЬЯ	ПУЛЬЯ	ВЕНЕТО
ФРІУЛІ-ВЕНЕЦІЯ-ДЖУЛІЯ	САРДИНІЯ	УМБРІЯ
МАРКЕ	СИЦИЛІЯ	

Кампанія

▶ ЧЕРВОНЕ	БІЛЕ
Альяніко	Греко, Фіано

Освіжні й тонізувальні білі та насичені червоні, які добре старіють.

▶ Можна подумати, що в цьому південному регіоні на халяві чобота буде дуже спекотно, але на пагорбах на схід від Неаполя виробляють деякі справді цікаві білі – обожнюю Фіано ді Авелліно від Ciro Picariello – і деякі міцні червоні. Обов'язково покуштуйте насичене червоне Тауразі! А ось Альяніко вважається Неббіоло півдня. Люблю напої з цього району.

Фріулі

▶ ЧЕРВОНЕ	БІЛЕ
Рефоско, Мерло	Ріболла Джалла, Совіньйон Блан, Піно Ґріджіо, Фріулано

Шукайте тут чудові білі та «натуральні» вина.

▶ Хоч Італія не надто славиться білими винами, окрім Піно Ґріджіо, одні з найкращих представників цього стилю виробляють у цій прогресивній місцевості на північ від Венеції, на межі Австрії та Словенії. Прохолодні вечори і спекотні дні морського клімату надають винам характеру й свіжості. Іноді вони стають ще більш багатогранними завдяки бродінню в дубових бочках. У Фріулі також виробляють велику кількість «натуральних» вин і з контактом із виноградною шкіркою – цей динамічний регіон частково відповідає за рух «натурального» виноробства в Італії. Червоні Фріулі, особливо Рефоско, відносно легкі та фруктові. Це епоха справжнього розквіту оранжевих вин. Цікавий факт: між винарнями Словенії та італійського регіону Фріулі історично відбувався активний обмін, адже кордон пролягає через виноградники.

Ломбардія

▶ ЧЕРВОНЕ	БІЛЕ
К'явеннаска	Піно Б'янко, Піно Ґріджіо, Шардоне

Сміливі червоні та вимогливі бульбашки.

▶ Для мене тут найцікавіший регіон Вальтелліна в альпійській долині між крутих схилів на самій півночі, яку прогрівають вітри з півдня. Там вирощують місцевий клон Неббіоло під назвою К'явеннаска, що ідеально поєднується з холодним м'ясом і різотто із сиром з цього регіону. Такі виноградники, як Grumello, Inferno, Sassella та Valtellina Superiore, випускають структуровані, концентровані вина за цілком доступною ціною. Франчакорта, знаменита місцевість ігристих вин в Італії, близька до шампанського за рівнем якості – і, на жаль, за ціною теж. У цьому ігристому змішані Шардоне, Піно Нуар і Піно Б'янко.

П'ємонт

▶ ЧЕРВОНЕ	БІЛЕ
Неббіоло, Барбера, Дольчетто	Москато (Мускат), Кортезе

Легендарна земля Бароло, Барбареско та білих трюфелів.

▶ Розташований недалеко від Турина на північному заході, П'ємонт, або П'ємон, є місцем народження найвідоміших італійських вин. Передусім – два найбільш величні вина на основі Неббіоло, Бароло і Барбареско. Науково доведено, що вони мають більше за будь-який інший сорт <u>ароматичних компонентів</u>, які охоплюють повний спектр запахів від вишні до полуниць, дьогтю, квітів, грибів та ґрунту, і з віком зазнають магічних перетворень. (Насправді, вам не варто куштувати їх зарано: коли вони молоді, усі ці таніни можуть бути надто терпкими.) Це вина, які змушують зупинитись і подумати про смак, яким потрібна чудова їжа поряд, можливо, щось із місцевими осінніми білими трюфелями?

Через їхню досконалість, ціни на Бароло й Барбареско ростуть досить швидко. Тому, якщо вам хочеться нових відкриттів, спустіться вниз і купіть Неббіоло д'Альба, що часто буває в молодших винах, з понижених виноградників Бароло.

Я часто піднімаюся у північну частину П'ємонту, на північний захід від Мілана, і купую вина з регіонів Ґемме та Ґаттінара. Виготовлені з місцевого клону Неббіоло Спанна, вони дещо легші й такі ж ароматні. І, оскільки ви не змагаєтеся з колекціонерами, їхні ціни набагато нижчі. Скуштуйте Травальїні у пляшці химерної форми, а також вина з Канталупо, Валлани та Пропрієти Сперіно – усі вони будуть поважного віку і з достойною ціною.

Сорт Барбера з П'ємонту також привертає вдосталь уваги. Мені подобається аромат вишні та темних фруктів і тілистість цих червоних вин, які іноді переброджують у дубових бочках.

Вино для щоденного пиття з цього регіону – це Дольчетто: воно нічим не ускладнене й питке. Ідеально підходить для підвечірка після роботи, до салямі та пармезану.

І якщо ми говоримо про П'ємонт, ніяк не обійтися без містечка Асті з його простим, фруктовим ігристим Асті Спуманте. Найбільше люблю його зі стиглими полуницями – але не кладіть ягоди в келих! (Збережіть шампанське для особливої нагоди...)

Пулья

▶ ЧЕРВОНЕ	
Прімітіво, Неґроамаро	

ІТАЛІЯ

Бюджетні вина із внутрішнім характером.

▶ У минулому ця територія виробляла концентроване виноградне сусло, яке інші регіони мусили використовувати за законом – попри їхнє небажання: якщо вам потрібно було збагатити виноградне сусло, доводилося брати його з Пульї, навіть якщо ви робили к'янті Класіко в Тоскані. За останні десятиліття цей бідний південний регіон отримав багато субсидій ЄС і почав показувати деякі результати. (Не тільки щодо вина.) Це дуже тепла місцевість, що означає вина з міцною основою. Як на мене, вони дещо комерційні, однак це хороший варіант для тих, хто має невеликий бюджет.

■ **ароматичні компоненти**
Те, що ви відчуваєте на запах. Ці хімічні компоненти виділяються при випаровуванні алкоголю.

● Сицилія

▶ ЧЕРВОНЕ	БІЛЕ
Фраппато, Неро д'Авола, Нерелло Маскалезе	Ґрілло, Катарратто, Ґреканіко, Зібіббо

Хоча вона й занадто різноманітна для класифікації, можу сказати, що тут багато скарбів за доступною ціною.

▶ Люблю сицилійські вина, вони якісні й легко поєднуються зі стравами. Тут виробляють багато різних вин, завдяки великій кількості мікрокліматичних зон. Вітер охолоджує виноград на півдні Акате і в Марсалі (який інакше випалило б сонце) та загальмовує ріст грибка. Прохолода Етни вповільнює дозрівання, це призводить до низького рівня цукру й високої кислотності. Додайте вулканічний ґрунт, і вийдуть потужні та вишукані вина.

Тут справжній розмай червоних, білих і справді цікаві амфорні вина. Особливою чистою елегантністю виділяються пляшки Марко де Бартолі. (У прямому сенсі: це один з небагатьох виноробів, які вимивають свої амфори, що лише в нього розміщені над землею!) Окрім білого Ґрілло, він переважно відомий завдяки марсалам. І покуштуйте амфорну лінію Pithos від чудових COS. Відчайдухи з Tenuta delle Terre Nere виробляють смачні вина з виноградника на горі Етна, яка є діючим вулканом!

Марсалу на Сицилії створив у 1773 року британський торговець Джон Вудгауз, коли шукав дешевшу альтернативу хересу.

● Трентіно-Альто-Адідже

▶ ЧЕРВОНЕ	БІЛЕ
Терольдеґо, Лаґрейн, Ск'ява, Піно Неро	Піно Б'янко, Совіньйон Блан, Нозіола

Шукайте в Трентіно прекрасні червоні, а в Альто-Адідже – найкращі білі та Піно Нуар в Італії.

▶ Ці північні регіони під сильним упливом Альп, що означає коротший сезон дозрівання і прохолодніші ночі, які є ключовими для розвитку смаку винограду.

Трентіно виробляє тілисті червоні, переважно з місцевого Терольдеґо, і білі Нозіола. Регіон відомий завдяки великому виробнику ігристого – Ferrari Trento. (Ні, вони не пов'язані з виробником автомобілів!) Біле Піно Б'янко та червоне Ск'ява – візитівки Трентіно: елегантні, питкі, доволі універсальні в поєднаннях з їжею.

Північніше, в Альто-Адідже, нові сорти, здається, на кожному кроці, а ще – одні з найкращих Піно Неро, особливо на сході від річки Адідже. З місцевого сорту Лаґрейн виробляють яскраве і повнотіле вино, подібне до Мерло. А в містечку Трамін збирають взірцеві врожаї білого Ґевюрцтрамінера. Цей сорт пекельно складно вирощувати, високий рівень танінів у товстій шкірці приглушує аромати, а в келиху вино швидко стає п'янким. З ним практично неможливо досягти незмінного з року в рік смаку, та місцевим виноробам вдалося його приборкати і виробляти стабільно хороші вина.

Альто-Адідже, завдяки впливу Австрії, виробляє деякі з найкращих Совіньйон Бланів. Раджу скуштувати!

Тоскана

▶ **ЧЕРВОНЕ**
Санджовезе,
Канайоло Неро,
Каберне Совіньйон,
Мерло

БІЛЕ
Треббіано Тоскано

Регіон дорогих, сильних, суперрозрекламованих червоних, де все ж залишається декілька сюрпризів.

▶ Тоскану неодмінно варто навідати — і не лише заради їжі. К'янті тут виробляють у численних регіонах. У його основі — червоний виноград Санджовезе, традиційно його купажували з Канайоло Неро і дрібкою білого Треббіано. Починаючи з 1980-х Санджовезе змішували з імпортними Каберне Совіньйон і Мерло для насиченості. У 90-ті винороби Тоскани почали використовувати дубові бочки, це теж підвищило популярність їхніх вин. На жаль, ціною втрати унікальності.

Сьогодні кілька винних заводів ще дотримуються традицій. Шукайте Pian del Ciampolo з Монтевертіне, у них одне з найкращих к'янті. Monteraponi пропонують якісні, недорогі вина, що прекрасно поєднуються з їжею. Також пошукайте к'янті Класіко від Fèlsina і к'янті Руфіно від Fattoria Selvapiana.

Візитівка Тоскани — Брунелло ді Монтальчіно (клон Санджовезе Ґроссо). Брунелло значно міцніші: під них вам захочеться щось з'їсти! Королі Брунелло — Soldera і Casanuova delle Cerbaie, та вони не з дешевих. Почати можна з Россо ді Монтальчіно, таку пляшку можна принести на вечірку або подати вдома до стейка.

Не омініть Монтепульчано та його знамените vino nobile di Montepulciano. Почніть з «простішого» Россо ді Монтепульчано.

З Больґері походить найвідоміше вино Італії: Сассікая. Під час Другої світової родина Інчиза посадила Каберне Совіньйон, тому що їхнє улюблене бордо було недоступне. Вино призначалося для сімейного споживання до кінця 1960-х, а потім повільно переросло в культ супертоскани. Дедалі більше виноробів висаджували Каберне Совіньйон, Мерло, Шираз і Каб Фран для створення потужних вин з міжнародних сортів, витриманих у дубі, — усе це коштує захмарно. Більшість цих вин просто розкручені, як на мене, але вони мають пристрасних шанувальників.

Венето

▶ **ЧЕРВОНЕ**
Корвіна,
Молінара,
Рондінелла

БІЛЕ
Ґлера,
Піно Ґріджіо

ІТАЛІЯ

Цікаві Амароне серед моря Просекко та Піно Ґріджіо.

▶ Район навколо Верони, місця дії «Ромео і Джульєтти», сьогодні славиться переважно своїм Просекко — ненав'язливим і надзвичайно легким ігристим вином.

З цього регіону також походить фруктове DOC Valpolicella, що чудово доповнює прості італійські страви. Це менший брат Амароне, одного з найсильніших rossos країни. (Якщо ви шукаєте італійський еквівалент Каберне з Напи, спиніться на ньому. Хоча вони відрізняються смаком, у них однакова концентрованість.)

У Венето також виробляють більшість комерційних Піно Ґріджіо Італії. Вони м'які, питкі, але смак часто слабкий або майже розбавлений. Можливо, їх досконало розпіарили, та в келиху вони рідко демонструють велику цінність.

Іспанія

▶▶▶ Завзяті молоді винороби перевідкривають старі і майже вимерлі сорти винограду, а старовинні й занедбані виноградники – і навіть цілі регіони – потроху оживають.

Іспанія виробляє найбільше вина на акр з усіх країн. Однак більшу його частину використовують для перегонки бренді, тож вона опиняється позаду Франції та Італії.

Її різноманітна географія дарує і теплі дні з прохолодними ночами в регіоні Мадрида, і холодний вологий клімат Атлантики навколо Ґалісії; від білої глини й вапнякового ґрунту Андалусії до непокірних та запаморочливих схилів Канарських островів – усе це приносить розмаїття винограду і смаків. А це означає безліч неймовірних винних відкриттів. А нас, споживачів, порадує те, що тутешні вина дивовижно недооцінені. В Іспанії є дуже традиційні місцевості, як-от Ріоха, Пенедес, Херес та Рібера-дель-Дуеро. Але найбільше мене цікавлять грандіозні зміни, що відбуваються тут і в Португалії. «Нові» винороби створюють суперцікаві вина за суперпривабливими цінами. Мої колеги сміються з того, як я постійно заводжу розмову про останні нові-для-мене вино / виноград / регіон з Піренейського півострова, але я не можу втриматися: Іспанія нескінченно мене захоплює.

Виноробні області Іспанії

Мадрид

Барселона

ІСПАНІЯ

▦ АНДАЛУСІЯ		▦ МАДРИД	
▦ АРАҐОН		▦ МУРСІЯ	
▦ КАСТИЛІЯ-І-ЛЕОН		▦ НАВАРРА	
▦ КАТАЛОНІЯ		▦ РІБЕРА-ДЕЛЬ-ДУЕРО	
▦ ҐАЛІСІЯ		▦ РІОХА	
		▦ ВАЛЕНСІЯ	

Андалусія

▶ **БІЛЕ**
Паломіно Фіно,
Педро Хіменес

Нова Іспанія в усій красі з великим вибором яскравих білих.

▶ Багаті вапняком, незвично білі ґрунти навколо Кадіса ідеально підходять білому винограду Паломіно Фіно, з якого виробляють херес. Унікальний баланс цукру та кислотності цього сорту формує гарячий, сухий левант і вологий атлантичний поньєнте. Пряний горіховий букет хересу Фіно та Мансанілья ідеально пасує до місцевої шинки Іберіко й оливок. Шанувальники складних вин оцінять витриманий херес Олоросо.

Останніми роками виноробні почали експериментувати з не окисленими білими винами, як херес, і відновлювати майже вимерлі сорти початку XIX століття. Результатом стали сухі, цитрусові білі, подібні на бургундське Шардоне. У винному барі ми пропонуємо Atlántida

---

ІДЕАЛЬНЕ ІГРИСТЕ ВИНО

▶ Пенедес, що поблизу Барселони, є одним з головних центрів ігристого вина в країні. Я хотів би особливо виділити Пепе Равентоса з Raventós та Blanc, який наважився відступити від легко впізнаваного смаку Cava DO, створивши власні стандарти високої якості. Скуштуйте ці вина: розкіш, яку легко собі дозволити.

Blanco від Alberto Orte з білого сорту, який ледве встигли врятувати від вимирання. Білий виноград Віхареґо прекрасно почувається на багатих вапняком ґрунтах у певних регіонах, де своєю якістю вина можуть зрівнятися з бордо.

Каталонія

▶ **ЧЕРВОНЕ**
Темпранільйо,
Ґарнача (Ґренаш),
Каріньєна
(Каріньян)

БІЛЕ
Макабео (Віура),
Шареллу,
Парельяда,
Шардоне

Від кави масштабного виробництва до виразних унікальних червоних – за цією розмаїтою, динамічною областю варто стежити.

▶ На північному сході недалеко від Барселони лежить Каталонія, що славиться своїм ігристим кава, яке виробляють у грандіозних кількостях. (Таких великих, що деякі виробники відмовляються від DO або DOC Cava і просто позначають його як «ігристе вино».) Основою кави є перелічені вище білі, але Шардоне та Піно Нуар теж поступово пробиваються до цього апеласьйону.

Вина з крутих схилів регіону Пріурат мають репутацію потужних і з високим умістом алкоголю, особливо коли виготовлені з Ґренашу. Зараз ця область повертається до вироблення вишуканіших вин, зумовлених тероаром. Один ковток вина від Terroir al Limit – і ви зрозумієте, як змінюється ця місцевість. У регіоні Пенедес вирощують рідкісний білий виноград Сумол Блан – під нього відведено всього двадцять акрів. Heretat MontRubí, прекрасний представник нової Іспанії, щороку випускає лише дев'ять сотень пляшок, виготовлених з цього сорту.

Ґалісія

▶ **ЧЕРВОНЕ**
Менсія

БІЛЕ
Альбаріньйо,
Ґодельйо, Донья
Бланка

Недооцінені, цікаві (і старомодні) вина.

▶ Північний захід Атлантики – один з найгарячіших регіонів країни, принаймні коли йдеться про нове покоління виноробів. Альбаріньйо переважно популярний у районі Ріас Байшас, де виноградники на гранітному ґрунті тягнуться аж до Атлантики. Ці вина мають різку кислотність і пікантний, ледь морський, післясмак. Альбаріньйо, вирощуваний на узбережжі, дуже вирізняється. Шукайте маркування sobre lias – таке вино мало триваліший контакт з осадом і буде значно потужнішим і виразнішим, ніж те, що ви купували в супермаркетах. Якщо ви шукаєте дешевшу альтернативу Білому бургундському (штибу Пуліньї-Монраше та Мерсо), скуштуйте щось із сортів Ґодельйо чи Донья Бланка – часто їх купажують.

Червоний виноград Менсія переживає трансформацію сприйняття: колись відомий через легкий, ледь трав'янистий фруктовий смак, не гірший від Каберне Фран, тепер він розкрився вражаючим діапазоном стилів, залежно від винороба, неймовірно високої якості. Вина від Valdeorras схожі на божоле: ті, що з Рібейри Сакра, нагадують Північну Рону, а з Ріас Байшас – більш рослинні на смак. У цьому регіоні є один вражаючий винороб – Рауль Перес. Скуштуйте його Castro Candaz Mencía з Рібейри Сакра; доступне вино з Б'єрсо – Ultreia Saint Jacques; вишукане – Ultreia de Valtuille, його зазвичай роблять на природних дріжджах під назвою «флор».

КУЛЬТОВИЙ РЕГІОН: КАНАРСЬКІ ОСТРОВИ

▶ Безумовно, один з культових регіонів, популярний серед тих, хто розхвалює «острівні вина» та виразні смакові характеристики вулканічного ґрунту. Колись це було неякісне пійло, нав'язане туристам, але останніми роками Канари розгорнули такі виноробні проєкти, як Envínate Táganan, що захопили старі виноградники на крутих схилах, з якими раніше не хотіли працювати через складність. (Загугліть «виноградники Канарських островів»: вони такі неприборкані, що ви й не здогадалися б, що це виноградники!) Якість чудова, а у виноградній суміші трапляються сорти, про які ви й не чули, зазвичай з білим Лістан Бланко та червоним Лістан Неґро в основі. Також зверніть увагу на вина від Bodega Juan Francisco Fariña.

⦿ Рібера-дель-Дуеро

▶ **ЧЕРВОНЕ**
Темпранільйо
(Тінто Фіно, Тінто дель Торо)

Розкішний традиційний регіон з насиченими, багатими червоними.

▶ Місце народження Vega Sicilia, найвідомішого в Іспанії вина, ця місцевість простягається вздовж річки Дору. Територію сформували високі плато, де холодні ночі врівноважують теплий клімат, що надає винам багатства й тонкості, а висока кислотність підкреслює яскравість смаків. Рібера, як її зазвичай називають, випускає темні, пишні червоні. (Менший регіон Торо виробляє вино, яке можна назвати потужнішим… і дешевшим.) Зараз ця місцевість переживає кризу ідентичності через тенденції, які нове покоління розвиває на півострові.

ЗНАЙДІТЬ ЦІ ВИНА!

▶ Якщо вдасться, покуштуйте вина Envínate Lousas Ribeira Sacra в Ґалісії, це один з топових винних проєктів Іспанії. Вино часто розкупають на місці й до експорту не доходить (ось навіщо вам потрібні хороші стосунки з вашою винною крамницею!). Виноград у різних регіонах вирощують без пестицидів і збирають вручну, а витримка відбувається за мінімального людського втручання; сірку додають лише за потреби. Зараз ці вина вони абсолютно культові.

⦿ Ріоха

▶ **ЧЕРВОНЕ**
Темпранільйо, Ґарнача (Ґренаш)

БІЛЕ
Віура (Макабео)

Червоні, витримані в дубі: ми що, в Бордо? Взагалі-то, ви не далекі від правди…

▶ Класичне червоне Ріоха, історичний апеласьйон на рівні Бордо й Бароло, складається із суміші фруктового Темпранільйо та Ґарначі, яка надає вину кислотності, необхідної для старіння. (Техніка була запроваджена в Бордо багато століть тому, тож це давня традиція цього регіону.) Місцеві винороби часто використовують американський дуб, звідки вина запозичують виразний ванільний аромат. Регіон також виробляє темний, ситний, фруктовий стиль вина Кріанса, яке можна пити набагато раніше. (Винам Ріохи зазвичай потрібно трохи постаршати, щоб зм'якшитися.) Різерви та ґран різерви обійдуться дорожче, але ви знайдете цікаві варіанти (і за цікаві гроші) Ріохи від R. López de Heredia та Bodegas Hermanos Peciña. Влаштуйте дегустацію кріанси, різерви (у віці трьох років) і ґран різерви (віком принаймні від п'яти років), щоб мати уявлення про те, що старіння робить з вином. Також ви можете скуштувати там біле на основі Віури, яке варіює від свіжих до дубових.

Познайомтеся з іспанським виноградом

▶ Можете списати це на людську природу, але ми схильні пити ті самі вина. Проте щойно ви дасте шанс менш відомим сортам з не дуже знайомих вам регіонів, обіцяю, ви не тільки виправдаєте свої сподівання, а й добре зекономите. В Іспанії це актуально, як ніде у світі. Усе розмаїття іспанського вина неможливо описати й узагальнити. Навіть сам виноград має величезні варіації в межах сорту. Ви знайдете освіжне цитрусове Альбаріньйо й потужне цитрусове Донья Бланка; м'яке, злегка окислене Віура і дивовижне Годельйо, яке подарує вам елегантність бургундського Шардоне без ціни Пуліньї-Монраше. Ось сорти винограду, на які варто звернути увагу.

Альбаріньйо

Цитрусове, свіже, трохи трав'янисте
Вино з нього може мати репутацію дешевого білого із супермаркету, але цей сорт готовий продемонструвати вибух якості. Одні Альбаріньйо глибокі й текстурні, а інші – делікатніші. Певні дуже пікантні й мінеральні, а ті, що виросли ближче до Атлантики, значно чіткіші та окресленіші, а також мають інтригуючу солоність. Скуштуйте вина Родріґо Мендеса і Рауля Переса, Bodegas Forjas del Salnes, а також Nanclares у Prieto, Atalier від Рауля Переса чи елітне Sketch обмеженого випуску (також виробництва Переса).

Ґарнача

Червоні фрукти, ніжні таніни, збалансоване
Цей виноград дуже поширений в Іспанії, але донині ніхто по-справжньому не звертав на нього уваги. Він цікавіший, ніж Темпранільйо, і має кислотність, необхідну для старіння. Не порівнюйте іспанську Ґарначу із середземноморським Ґренашем, що використовують у знаменитому потужному Шатонеф-дю-Пап; це чистіші, надихаючі вина, що нагадують Піно Нуар. Один з найзахопливіших на сьогодні проєктів – Comando G – на прохолодній височині Сьєрри де Ґредос на захід від Мадрида.
Пляшка смачного молодого вина другого покоління La Bruja de Rozas обійдеться в $21. Також тримайте в полі зору масив Сьєрра-де-Ґредос: найближчим часом тут з'являться справді цікаві вина.

Ґодельйо

Цитрусове, зібране, зелене яблуко
Цей білий виноград росте лише в Ґалісії і напрочуд добре реагує на сланець і глину в її ґрунтах. Залежно від способу виготовлення вино може смакувати, як чудовий Рислінг або навіть Пуліньї-Монраше. Більша частина винограду Ґодельйо зосереджена в регіоні Вальдеоррас. Покуштуйте Louro Godello Рафаеля Паласіоса.

Донья Бланка

Гіркий мигдаль, шовковисте, середньої насиченості
Нейтральний білий сорт, який часто змішують з Ґодельйо, колись використовували здебільшого для перегонки, але тепер його зоряний час настав. Він дуже щільний та закритий, і потребує принаймні трьох років витримки, щоб стати по-справжньому цікавим.

Менсія

Темні фрукти, пікантне, солонувате
Дивовижно бачити виноград з таким широким діапазоном характеристик. Вина, виготовлені з цього червоного сорту, пасують до багатьох кухонь світу, тож ви навряд чи пошкодуєте про цю пляшку.

Темпранільйо

Фруктове, свіже, соковите
Найвідоміший виноград Іспанії. Він особливо популярний у регіоні Ріоха, де його змішують з Ґарначею (Ґренаш у Франції), Ґрасіано і Масуело (Каріньян). Краса вин Ріохи в тому, що ви купите витриману пляшку за дуже невелику ціну. Але це триватиме, тільки поки решта світу не зрозуміє, які вони чудові.

Трейщадура

Яскраве, живе, мінеральне
Страшенно цікавий білий виноград. Виразний і різкуватий, зі схожою на морські черепашки мінеральністю – для декого це трохи складно, але дуже весело. Луїс Родріґес із Luis Anxo Rodriguez Vázquez в Рібейрі, один з майстрів, що опанували цей сорт, став справжньою зіркою Іспанії завдяки своїм досягненням. Обов'язково скуштуйте його червоні вина.

ІСПАНІЯ

Португалія

▶▶▶ Я люблю казати, що Португалія – це сплячий гігант у світі вина.

Ця країна в мене на другому місці, після улюбленої Іспанії. Регіон ріки **Дору**, батьківщина Портвейну, має багато різних мікрокліматів і височин, що дає змогу вирощувати чудові сорти, як-от червоні Туріґа Насьонал і Туріґа Франка та білі Рабіґато і Ґувейо. Через сучасний тренд на сухі вина, Портвейн зазнає спаду, а винороби зосереджуються на білих і червоних. Чудовим прикладом є традиційний виробник Niepoort. Нова зірка регіону, Луїс Сеабра, працює максимально органічно, щоб зберегти чудовий теруар Дору.

Вінью Верде – другий найбільший апеласьйон після Алентежу – також змінюються: винороби відійшли від сухих шипучих білих (Арінто, Лурейро) на користь вінтажів із характерною м'якою шипучістю, але з одного виноградника, щоб підкреслити теруар ґрунту з кристалічного сланцю і граніту. Це чудові літні вина! Також місцеві винороби швидко рухаються від виготовлення вин для супермаркетів, до унікальних білих вин з урожаю одного виноградника. Не пропустіть виноград Баґа з **Байрради**, дуже схожий на Неббіоло завдяки високому рівню танінів.

Найцікавіший регіон – Дау, що сховався в середгір'ї. Жаєн (Менсія) нагадує Північну Рону, зокрема Шираз. Тутешні винороби надзвичайно майстерні. Регіон **Алентежу** випускає доступніші вина – обожнюю їх до тушкованого м'яса! А ще тут виготовляють вина в амфорах.

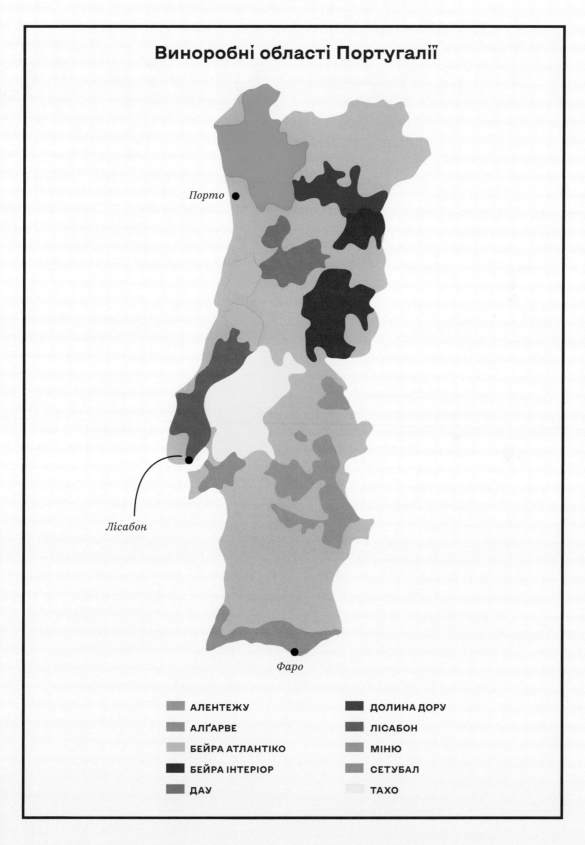

Виноробні області Португалії

Порто

Лісабон

Фаро

ПОРТУГАЛІЯ

АЛЕНТЕЖУ		ДОЛИНА ДОРУ	
АЛҐАРВЕ		ЛІСАБОН	
БЕЙРА АТЛАНТІКО		МІНЮ	
БЕЙРА ІНТЕРІОР		СЕТУБАЛ	
ДАУ		ТАХО	

Німеччина

▶▶▶ **Батьківщина Рислінгу сповнена сюрпризів. Розмаїття кліматів і ґрунтів Німеччини створює неймовірні вина.**

Німецькі вина дивовижно чисті й чіткі. Я пояснюю це тим, що винороби однаково точно виконують усі процедури і з використанням баків з іржостійкої сталі, і з олдскульними дубовими барилами, і в такому високотехнологічному льосі, що той нагадує хірургічний кабінет, і в старомодному погребі з земляною долівкою.

Практично неможливо говорити про німецьке вино, не вшанувавши Рислінг. Країна виробляє найкращі і найчистіші приклади цього вина – як сухого (trocken), так і напівсухого (halbtrocken), а особливо потужні GG (Grosses Gewächs),

які є німецьким еквівалентом французького ґран крю – і за законом мають бути сухими! Сьогодні ринок США воліє традиційного трохи солодкого напівсухого стилю, тимчасом як європейський вимагає сухих вин. Очевидно, що це перевернуло в країні все з ніг на голову.

Я люблю сухий Рислінг за його цілеспрямовану, мінеральну, пікантну складність, але був здивований, що більшість людей недолюблюють злегка напівсухі Рислінги в стилі Кабінет. Вони можуть так чудово поєднуватися з їжею – із суші, тайською та корейською кухнями – і старішають неймовірно добре, до того ж ціна завжди залишається нормальною.

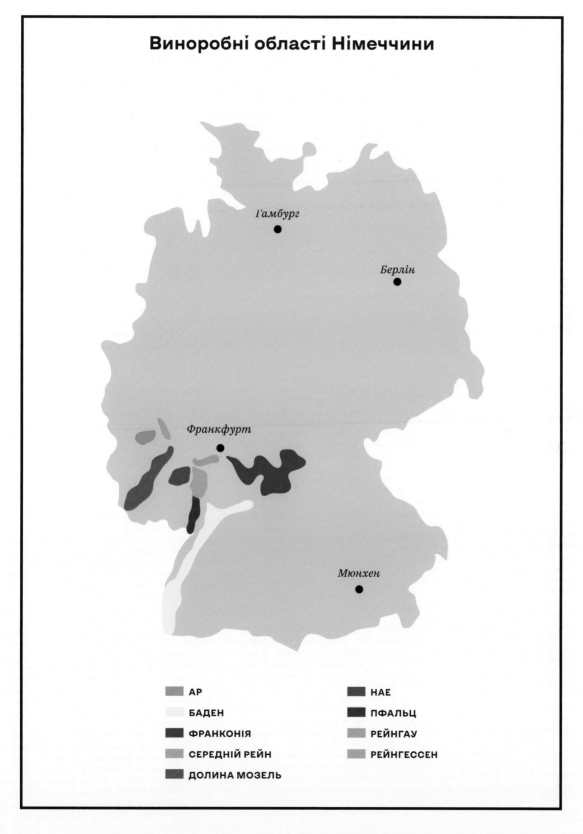

Виноробні області Німеччини

Ґамбург

Берлін

Франкфурт

Мюнхен

НІМЕЧЧИНА

АР

БАДЕН

ФРАНКОНІЯ

СЕРЕДНІЙ РЕЙН

ДОЛИНА МОЗЕЛЬ

НАЕ

ПФАЛЬЦ

РЕЙНГАУ

РЕЙНГЕССЕН

Солодші стилі Spätlese і Auslese нині трохи не в моді, саме тому я запасаюся пляшками 70-х і 80-х років: вони стають сухішими, і з віком у них додається чарівної складності. Німеччина не закінчується на Рислінгу: також варто пошукати Шпетбурґундер, клон Піно Нуар з нотками чорного перцю. Піно Нуар має довгу історію в Німеччині завдяки ченцям-цистерціанцям із Кло-де-Вужо, які виготовляли вино у своєму монастирі в Рейнгау. Зараз у зв'язку з потеплінням клімату Німеччина виграє від свого північного розташування, особливо в регіонах Франконія, Ар, Рейнгау, Пфальц, Баден і Рейнгессен. Місцеві Піно не можна порівнювати з їхніми бургундськими братами й сестрами, бо різні структури ґрунтів зумовлюють інше вираження індивідуальності вина. (У цьому випадку в ньому є певна прохолодна димність, як у щойно згаслому каміні, а також дрібка чорного перцю.) Безумовно, їх варто скуштувати. Шукайте пляшки від Fürst, Keller, Benedikt Baltes і August Kesseler.

Щоб не затягувати цю книжку, я не розповідатиму про кожен регіон, але в Німеччині можна відкрити багато нового. Просто не дозволяйте довгим назвам на етикетках себе налякати!

Долина Мозель

▶ **БІЛЕ**
Рислінг

У північній долині Мозель найкрутіші виноградники світу, де сонячне проміння падає на лози під ідеальним кутом для дозрівання у прохолодному кліматі, що дає виноробам змогу створювати найвишуканіші та найчистіші екземпляри Рислінгу. Під найбільшим кутом 65 градусів розташований виноградник Bremmer Calmont. (Навіть для мене, австрійця, шанувальника пішого туризму, це занадто тяжко!) Мої улюблені виноробні регіони – Франзен і Штайн.

Долиною тече дві річки. Біля Рувер розміщені еталонні виноробні Karthäusterhof і Maximin Grünhaus. Регіон ріки Саар прохолодніший, тож у винах від природи вищий рівень кислотності, унаслідок чого в них завжди є краплина залишкового цукру для пом'якшення. (З роками вінтажі стають теплішими, і винороби ферментують вина, щоб зробити їх сухішими.) Скуштуйте вина від Florian Lauer, які завдяки мінеральності смакують, як ароматніша версія Шаблі. Цей регіон відомий винами з високим залишковим цукром (напівсухими й десертними).

У Саарі працює найзнаменитіший виробник Рислінгу Єгон Мюллер з винарні Scharzhofberg, який вивів вина на цілком новий рівень. Йому байдуже до сучасної моди на сухість; він робить вина так, як його навчив батько, а це означає, що майже всі вони мають залишковий цукор. Його Trockenbeerenauslese – найдорожче біле вино світу, навіть дорожче за Монраше і точно краще старішатиме. Ці лімітовані вина, часто лише 100 пляшок на рік, входять до списку бажань кожного винолюба.

Нае

▶ **БІЛЕ**
Рислінг

У цьому відносно маленькому регіоні працюють одні з найкращих виробників, зокрема Донгофф, Шефер-Фроліх та Мартін Теш. Вина з цієї місцевості поєднують у собі риси долини Мозель та Рейнгау і подарують вам чудову якість у келиху. Рислінги з Нае такі ж свіжі, як у долині Мозель, і так само щільні, як у Рейнгау. Цей регіон більше зосереджений на якості, ніж на кількості.

Рейнгау

▶ **ЧЕРВОНЕ** | **БІЛЕ**
Шпетбурґундер | Рислінг

Німецьке вино зазвичай асоціюють з історичним Рейнгау. У регіоні тепліше, ніж у районі Мозель, тому вина сильніші та щільніше відчуваються на язику. Кварцитові ґрунти, які формуються на гірському масиві Таунас, дарують виразні мінеральні вина. Скуштуйте пляшку від Йоганнеса Лейтца або від його колишнього майстра льоху Єви Фріке.

США

▶▶▶ **За останні двадцять років американці стали надзвичайно спраглими до вин з усього світу, тому США тепер – споживачі вина номер один серед усіх народів. Але тут також виготовлено багато вин, якими можна пишатися.**

А загалом, усі п'ятдесят штатів, включно з Аляскою, виробляють вино. (От його якість – питання, відкрите для обговорення.)

Не стримувані суворим законодавством, як те, що регламентує виноробство в Європі, американці мають свободу творчості й експериментів. Однак є й більші відмінності між Європою і США. Там, де європейські закони про вино дуже обмежують те, що ви можете вирощувати, у США з цим усе простіше, саме тому тут ви знайдете значно ширший асортимент винограду, ніж могли б років

двадцять тому. Також більшість місцевих виноробень мають список розсилки або винний клуб, це дає людям змогу купувати безпосередньо у виробника – іноді їм навіть не доводиться працювати з розповсюджувачем. Хоча вина зі США зарекомендували себе як тілисті, сміливі, перенасичені та щедро «дублені», це більше не є правилом. Молоді виробники подорожували і працювали в усьому світі й тепер, привізши нові знання додому, створюють збалансовані вина. Лише погляньте на пет-нати з Каліфорнії, який креатив вирує в окрузі Санта-Барбара, як багато цікавих Шардоне з'являється в Ореґоні! І досить одного погляду на зміни якості у нью-йоркському регіоні озер Фінґер та Гемптонсі, щоб зрозуміти: в Америці роблять надзвичайні вина.

Виноробні області Каліфорнії

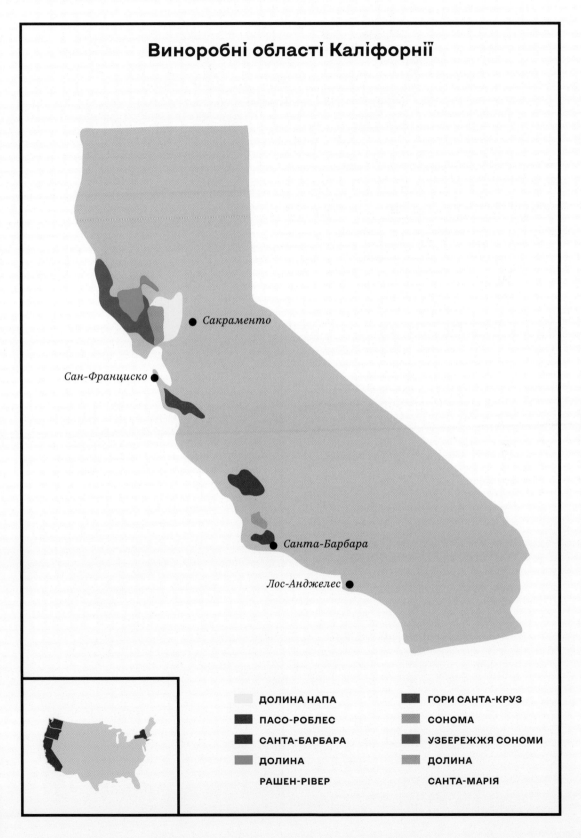

Сакраменто

Сан-Франциско

Санта-Барбара

Лос-Анджелес

США

ДОЛИНА НАПА	ГОРИ САНТА-КРУЗ
ПАСО-РОБЛЕС	СОНОМА
САНТА-БАРБАРА	УЗБЕРЕЖЖЯ СОНОМИ
ДОЛИНА РАШЕН-РІВЕР	ДОЛИНА САНТА-МАРІЯ

115

Каліфорнія

▶ **ЧЕРВОНЕ**
Каберне Совіньйон,
Піно Нуар,
Мерло,
Зинфандель,
Шираз

БІЛЕ
Шардоне,
Совіньйон Блан

Свіжість та елегантність набирають сили в сонячному краї вершкового, маслянистого, дубового Шардоне і сильного, відвертого Каберне.

Каліфорнія – гігант у світі виноробства. Коли ми говоримо про каліфорнійське вино, то думаємо переважно про Напу й Соному, де почали вирощувати виноград на початку 1900-х років. Та основна частина походить зі спекотної й рівнинної Центральної долини, де E. & J. Gallo досягла величезних промислових масштабів. Молоді винороби рухаються в бік прохолоднішого клімату, особливо з туманами, намагаючись зламати стереотипи про перепалені сонцем вина з гіпертрофованою індивідуальністю. Це потужне щовечірнє кондиціонування надає винам неймовірної свіжості. (Посадіть Піно Нуар у Напі – і воно буде бездушним та запеченим під сонцем, м'яким і в'ялим на смак. Пересадіть його на туманне узбережжя Сономи чи в гори Санта-Круз – і отримаєте яскраву індивідуальність та душевність.) Це захопливий крок уперед.

ПІВНІЧНЕ УЗБЕРЕЖЖЯ

Напа

▶ **ЧЕРВОНЕ**
Каберне Совіньйон,
Мерло

БІЛЕ
Шардоне,
Совіньйон Блан

Долина Напа стала одним з найзнаменитіших виноробних регіонів наприкінці 70-х завдяки конкурсу «Суд Парижа», в якому кілька вин з цього регіону перемогли французів. Сьогодні вина Напи славляться своїми яскравими, сміливими, концентрованими характерами. Найвідоміші апеласьйони – Стег'з Ліп, Оуквілл, Резерфорд, гора Ведер, Сент-Гелена та Лос-Карнерос. Урожаї цього регіону легко узагальнити, адже там весь час сонячно, але насправді він набагато складніший через непостійність туману, відкритість сонцю та різну висоту над рівнем моря. Неодмінно скуштуйте вина Кеті Корісон, а також від Enfield, Massican, Sky та Stony Hill.

Рашен-Рівер

▶ **ЧЕРВОНЕ**
Піно Нуар

БІЛЕ
Шардоне

Тепліший клімат регіону дає щільніші вина, і, залежно від місця вирощування, їхня пишність буває чудовою. Також вони прекрасно старіють. Скуштуйте Піно Нуар Cuvée de Trois від Joseph Swan Vineyards: воно м'яке, насичене і прекрасно збалансоване.

Узбережжя Сономи

▶ **ЧЕРВОНЕ** | **БІЛЕ**
Піно Нуар | Шардоне

Сонома менш туристична, ніж сусідня Напа, без екскурсій на електросамокатах і сувенірних крамниць. Апеласьйон AVA Узбережжя Сономи прямо на березі Тихого океану зібрав найкращих виробників. Прохолода й туман створюють ідеальні умови для вирощування Шардоне та Піно Нуар. Не пропустіть Hirsch Estate, піонерів виноробства в регіоні. А також відкрийте для себе вина Arnot-Roberts.

ЦЕНТРАЛЬНЕ УЗБЕРЕЖЖЯ

Гори Санта-Круз

▶ **ЧЕРВОНЕ** | **БІЛЕ**
Піно Нуар, | Шардоне
Каберне Совіньйон |

Територія між Кремнієвою долиною та узбережжям Тихого океану лежить на висоті трохи більш як 600 метрів. Вона не така пафосна, як Напа, і варта відвідин. Тут виробляють культові каліфорнійські вина Ridge Monte Bello. (Вино Ridge посіло п'яте місце на конкурсі «Суд Парижа» 1976 року, коли дегустатори наосліп вибрали – йоооой! – каліфорнійське вино як найкраще у світі.) Хочете пригод – відвідайте виноградник Bonny Doon, де Рендалл Ґрем експериментує з кількома незвичайними сортами.

Санта-Барбара

▶ **ЧЕРВОНЕ** | **БІЛЕ**
Піно Нуар | Шардоне

Тут зняли фільм «На узбіччі». Щойно він став популярним, продажі Мерло впали, тимчасом як Піно Нуар – злетіли в небо, наче Ікар (без частини з обпаленими сонцем крилами). В окрузі розмістились відомі апеласьйони AVAs долина Санта-Марія та Санта-Ріта Гіллз. Тут ви отримаєте найвищу у світі якість Піно Нуар і Шардоне.

Цей округ нині є одним з найпопулярніших винних регіонів Каліфорнії. Захопливі процеси відбуваються там завдяки молодим стартапам та інвесторам, а клімат ідеально підходить Піно Нуар і Шардоне: з Тихого океану вночі приходить охолоджувальний туман, а до пізнього ранку його проганяє сонце. Це досить стале чергування привабило багатьох виноробів. Усесвітньо відомий сомельє Раджат Парр керує двома винарнями Sandhi (білі й червоні) та Domaine de la Côte (Піно Нуар). Знаменитий Етьєн Монтіль з бургундського Domaine Montille недавно придбав тут землю, а це віщує тільки хороше.

Джим Кленденен з Au Bon Climat та Clendenen Family Vineyards – це класичний виробник. Pip Pinot Noir з другої винарні демонструє чудову якість першокласного регіону. Також покуштуйте білі вина Tatomer, що спеціалізуються на сухих Рислінгах, які я можу назвати одними з найкращих Ґрюнер Вельтлінерв і за межами Австрії.

США

117

Штат Вашингтон

▶ ЧЕРВОНЕ	БІЛЕ
Каберне Совіньйон, Мерло, Шираз	Шардоне, Рислінг

Тотальне масове виробництво і кілька промінців світла.

Більшість виноробів штату розмістилися на сході від хребта Каскадних гір, що забезпечує м'який мікроклімат. Подібним до пустельних умовам вирощування допомагає іригація. Для регіону характерні купажі з Бордо, але Шираз зазвичай теж прекрасно тут почувається. Також тут розгорнули широке виробництво Рислінгу, яке в основному підтримується Chateau Ste. Michelle.

Ореґон

▶ ЧЕРВОНЕ	БІЛЕ
Піно Нуар	Піно Ґрі, Шардоне

Менш комерційна альтернатива Каліфорнії, відома своїми Піно й (дедалі частіше) прекрасними Шардоне.

Ореґон часто помилково порівнюють з Каліфорнією, але цей прохолодніший, вологіший штат потребує зовсім іншого стилю землеробства. (Тут багато біодинамічних виноградників.) Піно в Ореґоні значно землистіші, пряніші та потужніші, ніж їхні м'якші та фруктові сусіди з півдня. Піно Ґрі тут теж досить популярне, а Шардоне має реально надзвичайні зразки.

Найбільш помітний і продуктивний апеласьйон AVAs – долина Вілламетт, який має кілька винних субрегіонів. Скуштуйте Шардоне від Evening Land Vineyards та Lingua Franca, – це нова цікава співпраця майстра сомельє Ларрі Стоуна і провідного бургундського виробника Домініка Лафона. Класичне ореґонське Піно можна знайти в Bergström, Cristom, Domaine Drouhin (виробник з Бургундії) та історичних Eyrie Vineyards.

Нью-Йорк

▶ ЧЕРВОНЕ	БІЛЕ
Каберне Фран, Мерло	Рислінг, Шенен Блан, Шардоне

Рожеві та Рислінги в штаті Нью-Йорк? Серйозно.

Виноробство зосереджене у двох частинах штату Нью-Йорк. У гламурному Гемптоні роблять Шенен Блан, Каберне Фран і модне розе (раджу Wölffer Estate, Paumanok і Channing Daughters). У провінційному районі озер Фінґер сприятлива для Рислінгів прохолода (раджу Dr. Konstantin Frank, Hermann J. Wiemer, Ravines і Boundary Breaks). Clement Wines виробляють деякі з найкращих червоних вин штату. Любите сухі? – Скуштуйте Empire Estate Riesling.

Виноробні області Ореґону і Вашингтону

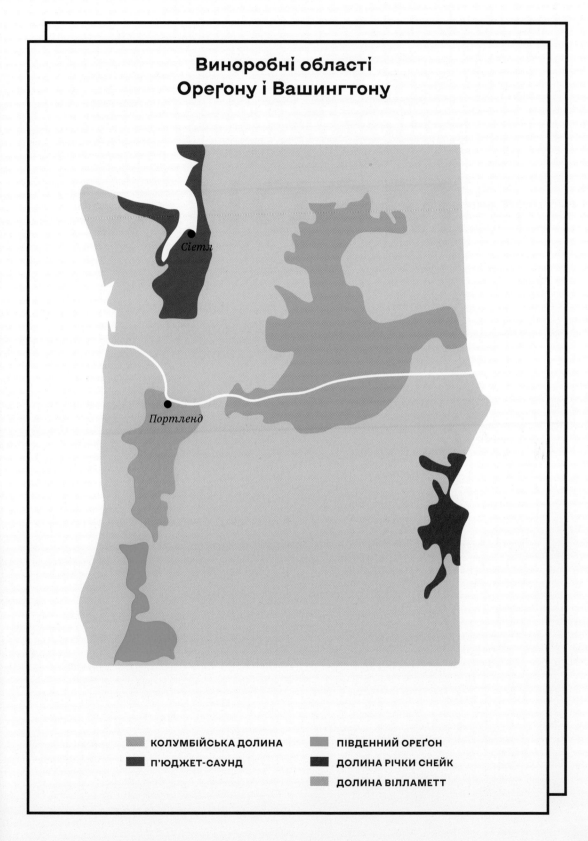

С Ш А

КОЛУМБІЙСЬКА ДОЛИНА

П'ЮДЖЕТ-САУНД

ДОЛИНА ВІЛЛАМЕТТ

ПІВДЕННИЙ ОРЕҐОН

ДОЛИНА РІЧКИ СНЕЙК

Південна Америка

▶▶▶ **В** <u>Аргентині</u> **й** <u>Чилі</u> **відбувається винна революція.**

Традиційні, пишні стилі вина сформувалися під впливом багатих ґрунтів, які намиває з Анд, у поєднанні з теплим кліматом і прохолодою височин. Французькі винороби, шукаючи доступну землю та робочу силу (і заняття під час зими й весни, коли в Південній Америці повноцінне літо й осінь), зробили сюди багато інвестицій. Південна Америка також має перевагу – оригінальні неприщеплені лози, бо ж епідемія філоксери, яка знищувала виноградники по всій Європі при кінці 1800-х років, не дісталася до Чилі.

Як і більшість молодих виноробних країн, що відмовилися від своїх традицій на користь глобально привабливих вин (насиченіших, сміливіших, більш «дубових»), вони відновлюють баланс протягом останніх років, повертаючи місцевий виноград і переоцінюючи його властивості. Проте аргентинські червоні мають концентрований та яскравий фруктовий смак і самобутній фіолетовий відтінок, тимчасом як у їхніх чилійських конкурентах відчуваються нотки евкаліпту, які можуть виявитися досить привабливими.

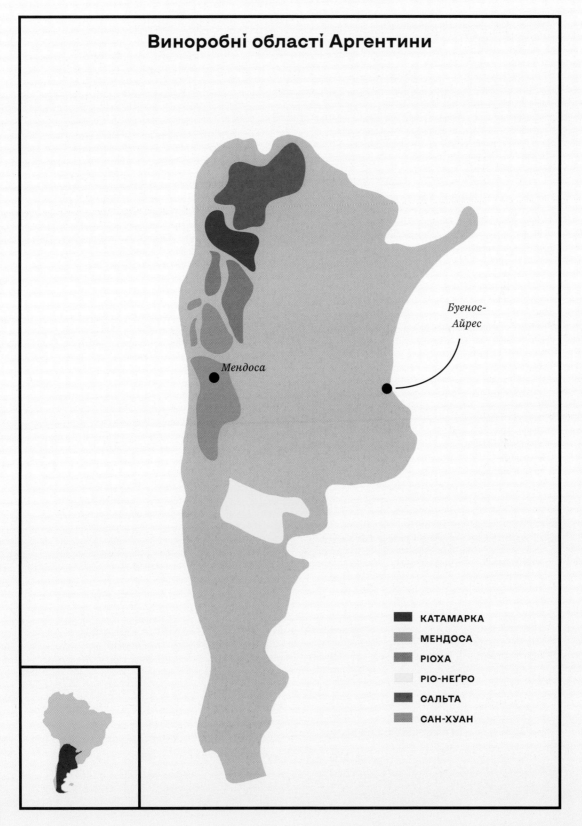

Виноробні області Аргентини

Буенос-Айрес

Мендоса

КАТАМАРКА

МЕНДОСА

РІОХА

РІО-НЕҐРО

САЛЬТА

САН-ХУАН

Аргентина

▶ **ЧЕРВОНЕ**	**БІЛЕ**
Мальбек, Каберне Совіньйон, Бонарда	Торронтес, Шардоне

Край сповнених сили, доступних Мальбеків і живих Торронтес.

Аргентина здійснила революцію у виробництві (і споживанні) вина наприкінці 1990-х, відмовившись від місцевого винограду з рожевою шкіркою, який використовували для легких столових вин у фермерському стилі, на користь серйозного виноробства. Подібний до пустельного клімат і піщані ґрунти створюють умови для потужного росту. Аргентинський Мальбек відібрав корону в каліфорнійського Каберне завдяки схожим якостям (чорнильність, відвертість, пікантність, сила) і значно делікатнішій ціні. Хоча раніше він був трохи перенасичений дубом, останніми роками виноробам вдалося це врегулювати.

Приголомшливо красивий північний регіон **Сальта**, де на висоті 3,5 кілометра розмістили одні з найвищих у світі виноградників і виробляють розкішні вина, надто – в Bodega Colome. Величезна

122

висота формує товстішу виноградну шкірку, що надає фіолетового відтінку соковитим делікатесним винам. (А ще ці вина забарвлять ваші зуби у фіолетовий колір після години дегустації!) Білий виноград Торронтес зі свіжими, квітковими та цитрусовими нотами найкраще проявляє себе в Сальті.

У найвідомішому регіоні **Мендоса** з переважно масштабними виноробнями головну роль відіграє Мальбек. Ви знайдете різні прояви Мальбеку в різних місцевостях, наприклад, потужні версії з нотками спецій у **Лухан-де-Куйо** та більш бургундський стиль Мальбеків – високо у приголомшливо красивій долині **Уко**. Під час візиту туди мою увагу привернув місцевий червоний сорт Бонарда. Хоча його мало визнають виробники, ці прості, цікаві, легкі для пиття вина здались мені дуже смачними – і коштували вони зовсім небагато.

Далі на південь, у бік **Патагонії,** перспективно мислячий італієць П'єро Інчиза делла Роккетта (з родини, яка першою створила супертосканське вино) вирощує біодинамічний Піно Нуар для створення багатьох різних винних марок. Скуштуйте його Zin Azufre (без сірки). Також він нещодавно почав проєкт із Шардоне разом з Жаном-Марком Руло, зіркою Мерсо / Бургундії. Їхні вина обійдуться недешево, але з того, що я куштував, це наче пити елітне Кортон-Шарлемань з Аргентини за значно менші гроші.

Ця країна завжди хотіла робити власне вино, тому невеликі виноробні трапляються частіше, ніж у більш промисловому Чилі. Є тенденція рухатися ближче до висотних регіонів, як-от **Тупунґато** і гори долини Уко, де виноороби переходять до нового стилю Мальбеків, які проявляють теруар (а не його виноороба). Зараз у цих винах більше виразності та свіжості, що здалося б немислимим навіть п'ять років тому. Скуштуйте пляшку від Матіаса Мічеліні з долини Уко – чи не найпрогресивнішого виноороба в країні.

Виноробні області Чилі

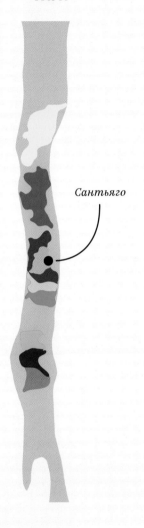

Сантьяго

■ АКОНКАҐУА
□ АТАКАМА
■ ДОЛИНА БІО-БІО
■ КАЧАПОАЛЬ
▨ КОЛЬЧАҐУА
■ КОКІМБО
■ КУРІКО
▨ ДОЛИНА ІТАТИ
▨ ДОЛИНА МАЙПО
■ МАЛЛЕКО

Чилі

▶ ЧЕРВОНЕ	БІЛЕ
Каберне Совіньйон, Мерло, Карменер, Паїс	Шардоне, Совіньйон Блан

Від промислового до революційного.

Високі плато, що не знають нестачі води, під щедрим чилійським сонцем, активно приваблюють іноземних інвесторів. Філоксера, що знищила багато виноградників по всьому світу в 1800-ті, не дісталася так далеко на південь, тож багато лоз у Чилі лишилися нещепленими, а результатом місцевих ноу-хау та вливань кількох могутніх сімей є безліч вин, виготовлених під французьким впливом, з міжнародних сортів.

Нове покоління виноробів рухається південніше в Анди і ближче до холодного Тихого океану, щоб розвивати біодинамічне виноградарство, безполивне вирощування і старі виноградники. **Мауле**, **Біо-Біо** та **Ітата** – ключові регіони нової хвилі. Шукайте вина Педро Парра, особливо унікальне Imaginador, червоне на основі Сенсо, вирощеного на гранітному ґрунті.

У середині 2000-х кілька новаторів (один із Бургундії) працювали зі старою не щепленою лозою Каріньян і Паїс. Дотепер з них виробляють молоді фермерські vino pipeño, недорогі й дуже приємні. Люблю виразні фруктові та евкаліптові нотки. Світе, готуйся до нового смаку Чилі!

ПІВДЕННА АМЕРИКА

123

Південна Африка

▶▶▶ **Незважаючи на асоціації з масовим виробництвом Шенен Блан, у Південній Африці створюють вина з характером і душею.**

Виноробство тут почалося в 1600-ті, хоча більшість вин виготовляли для перегонки або для комерційного виробництва Пінотажів. Тепер тут відбуваються величезні, зокрема й світоглядні, зміни. У розкішних регіонах **Стелленбош**, **Паарл** та **Франсхук** виноградники з прекрасними дегустаційними залами, гарні, немов з листівок. Молоді винороби, успадковуючи справу, повертаються до місцевих традицій, виявляючи особливу делікатність у фермерстві та обираючи прохолодніші регіони. Чудовий приклад – Ганнес Шторм із Вокерс Бей: він виробляє справді чудові Піно Нуар та витончені Шардоне, що смакують майже як бургундські. У Свартленді шукайте вина від Badenhorst, чиє Family White Blend нагадує мені легший варіант білого Ермітажу. Вина Sadie Family також дуже затребувані.

Виноробні області Південної Африки

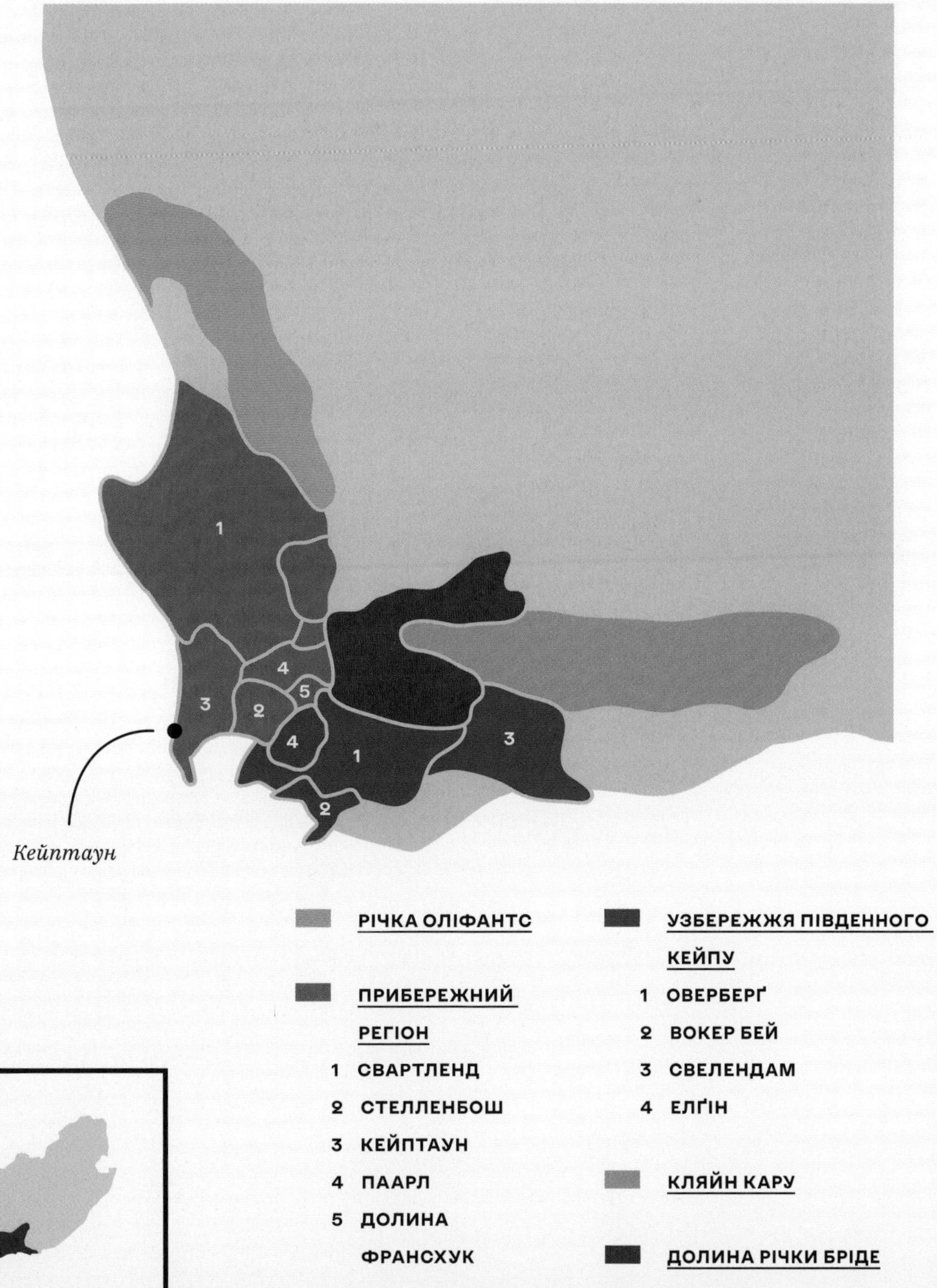

ПІВДЕННА АФРИКА

Кейптаун

РІЧКА ОЛІФАНТС

УЗБЕРЕЖЖЯ ПІВДЕННОГО КЕЙПУ

ПРИБЕРЕЖНИЙ РЕГІОН

1 ОВЕРБЕРҐ

1 СВАРТЛЕНД

2 ВОКЕР БЕЙ

2 СТЕЛЛЕНБОШ

3 СВЕЛЕНДАМ

3 КЕЙПТАУН

4 ЕЛҐІН

4 ПААРЛ

5 ДОЛИНА ФРАНСХУК

КЛЯЙН КАРУ

ДОЛИНА РІЧКИ БРІДЕ

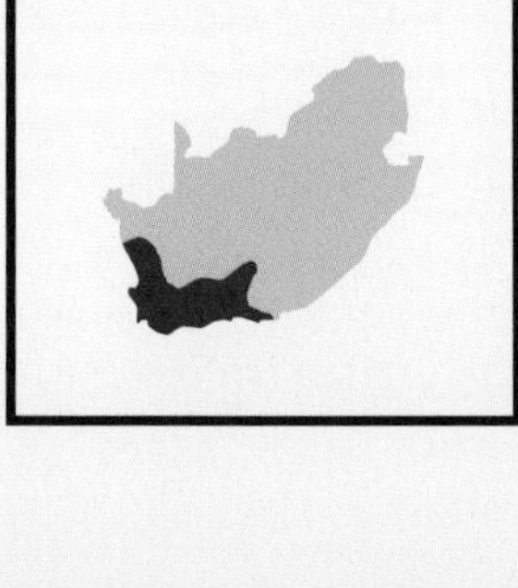

125

Австрія

▶▶▶ *Надійні сухі вина.*

За останні тридцять років Австрія двічі переосмислювала себе. Спершу стався перехід від вин для мас-маркету до напоїв вищої якості, трансформацію продовжила зміна поколінь. Діти, які вчилися виноробства від батьків і дідів, набралися досвіду по всьому світу й повернулися з новими знаннями, узявши віжки у свої руки. Результатом є розквіт креативності, відхід від традиційних стилів та делікатніші вина з нижчим рівнем алкоголю. В Австрії процвітають органічні практики землеробства, хоча й раніше вона була зеленою країною: Рудольф Штайнер, батько біодинамічного землеробства, австрієць за походженням. Тут не заведено це афішувати, та вам буде складно знайти винороба, який обприскує лози пестицидами.

Австрійські вина завжди сухі. Ґрюнер Вельтлінер – титульний сорт, що поставив цю крихітну країну на винну карту світу наприкінці 90-х. Популярний Вельшрислінг (не пов'язаний з Рислінгом) є основою для більшості вин: у Штирії з нього виробляють чисте, легке вино. Це основний сорт для десертних вин з округи озера Нойзідль – ідеального регіону для

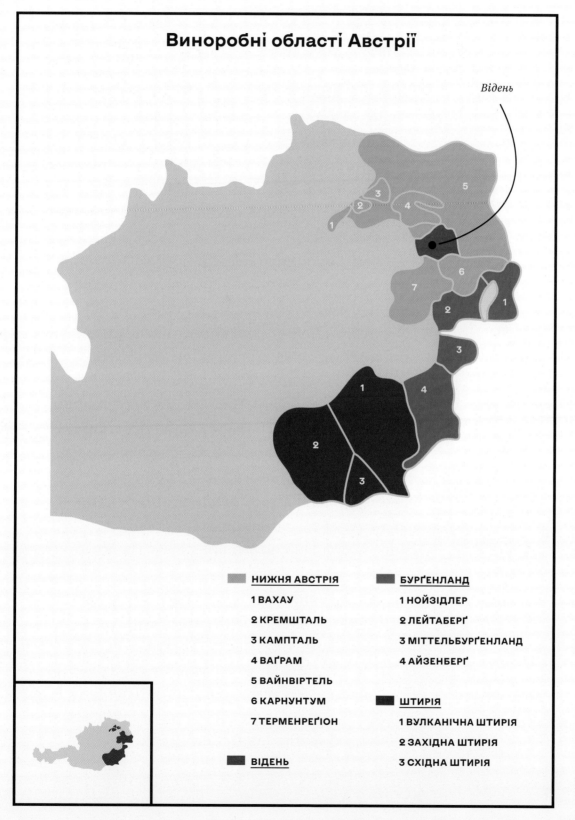

Виноробні області Австрії

Відень

НИЖНЯ АВСТРІЯ

1 ВАХАУ

2 КРЕМСТАЛЬ

3 КАМПТАЛЬ

4 ВАҐРАМ

5 ВАЙНВІРТЕЛЬ

6 КАРНУНТУМ

7 ТЕРМЕНРЕҐІОН

ВІДЕНЬ

БУРҐЕНЛАНД

1 НОЙЗІДЛЕР

2 ЛЕЙТАБЕРҐ

3 МІТТЕЛЬБУРҐЕНЛАНД

4 АЙЗЕНБЕРҐ

ШТИРІЯ

1 ВУЛКАНІЧНА ШТИРІЯ

2 ЗАХІДНА ШТИРІЯ

3 СХІДНА ШТИРІЯ

АВСТРІЯ

127

ботрітісу, який можна порівняти з французьким Сотерном й угорським Токаєм. (Моя безсоромна підказка – виноробня Kracher, але я упереджений: я роблю з ними вино!)

Канонічними є вина долини **Вахау**, та **Кремшталь** і **Кампталь** роблять не гірші. **Терменреґіон** – батьківщина білих Ротґіпфлер і Цирфандлер. Завдяки вапняковим ґрунтам Цирфандлер тут вражаючий, скуштуйте вина Штадльмана.

Штирію називають австрійською Тосканою завдяки пагорбам (вона значно зеленіша!), тут ідеальні умови для Шардоне (т. зв. Морійон) і Совіньйон Блану. Їхня кислотність трохи зеленіша, не така лимонна, як у сансерських вин, радше нагадує яблуко Ґренні Сміт. Місцеві перлини – Совіньйон Блан від Tement та вина Катаріни Лакнер-Тінначер. Вина Крістофа Ноймайстера приголомшливо чисті: одного поганого сезону він чайною ложечкою відколупував підгнилі ягоди з кожного грона. Ця ретельність виливається у довершений смак. Глобальне потепління зумовлює появу тут цікавих червоних вин.

У **Бурґенланді** вирощують Блуфранкіш із нотками темних ягід і спецій, вина з нього нагадують Кот-Роті та бургундське Піно Нуар. Раджу Moric Blaufränkisch від Роланда Веліха, червоні Ганнеса Шустера, Маркуса Альтенбурґера, Пола Акса, Wachter-Wiesler, Prieler і кюве Клауса Прайзінґера.

DAC (Districtus Austriae Controllatus): походження вина, яке вказує, де було вирощено використаний для нього виноград.

Австралія

▶▶▶ **Зайти (набагато) далі, ніж Шираз Yellow Tail, заради захопливих Шардоне, Рислінгів і Каберне Совіньйон.**

Австралійське виноробство зовсім молоде, започатковане в 1830-ті, стало невід'ємною частиною життя країни. Австралійці люблять свої високооктанові, насичені Шירази й пишаються їхньою виразністю. Тут домінують чотири компанії, а дрібні виробники тяжіють до прохолодного клімату і виробляють ціле розмаїття цікавих вин, які, на жаль, ще не дісталися наших берегів.

В Австралії росте не лише Шираз (французький Сіра), що розкошує тут і в гарячій **долині Баросса**, й у прохолодніших **долині Ярра**, **Джілонгу** та **Аделаїда Гіллз**. Тут чудово почуваються сорти Семільйон у **долині Гантер**, Рислінг у **Долині Іден і долині ріки Клер** (у Вендурі вирощують Шірази, які добре старішають), Ґренаш у **Бароссі**, Каберне Совіньйон над **річкою Марґарет** і Піно Нуар у **Тасманії, долині Ярра** та на **півострові Морнінгтон**.
Австралійські вина дуже рідко бувають закорковані, тому не думайте, що ґвинтова кришка свідчить про якість рівня Yellow Tail.

Виноробні області Австралії

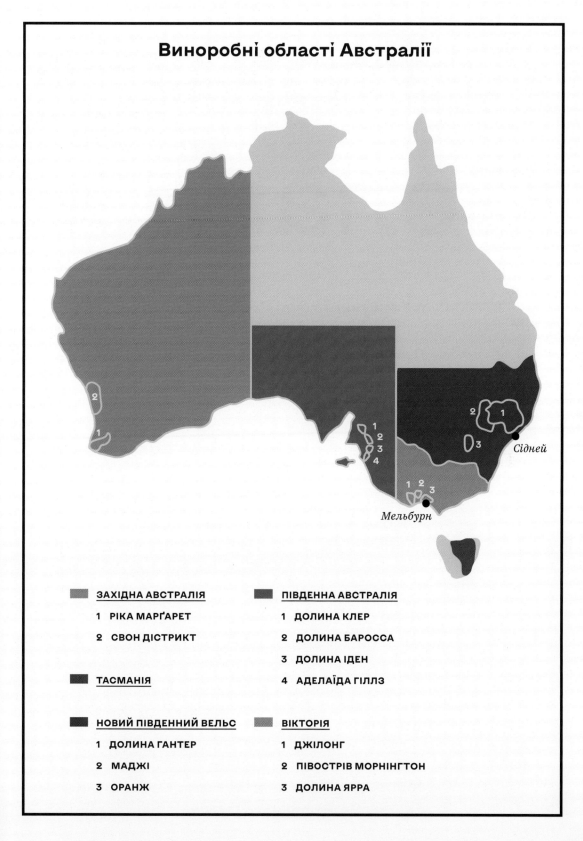

Сідней

Мельбурн

ЗАХІДНА АВСТРАЛІЯ

1 РІКА МАРҐАРЕТ

2 СВОН ДІСТРИКТ

ТАСМАНІЯ

НОВИЙ ПІВДЕННИЙ ВЕЛЬС

1 ДОЛИНА ГАНТЕР

2 МАДЖІ

3 ОРАНЖ

ПІВДЕННА АВСТРАЛІЯ

1 ДОЛИНА КЛЕР

2 ДОЛИНА БАРОССА

3 ДОЛИНА ІДЕН

4 АДЕЛАЇДА ГІЛЛЗ

ВІКТОРІЯ

1 ДЖІЛОНГ

2 ПІВОСТРІВ МОРНІНГТОН

3 ДОЛИНА ЯРРА

Нова Зеландія

ЧЕРВОНЕ
Піно Нуар

БІЛЕ
Совіньйон Блан
Шардоне

▶▶▶ **Гучні й горді Совіньйон Блани.**

Луарські Совіньйон Блани мають чудову пікантність, а от новозеландські – повна протилежність, вони як фруктові бомби: смородина, котяча сеча (понюхавши, ви зрозумієте), екзотичні фрукти... море ароматів.

Ви знайдете новозеландські Совіньйон Блани майже в усіх винних картах світу, що є досягненням для такої невеликої країни, на яку припадає лише один відсоток світового вина!

Відгук на вдалий Совіньйон Блан виноробні Cloudy Bay з **Марлборо** надрукували у Wine Spectator, завдяки чому Нова Зеландія потрапила на виноробну карту світу. Ви легко знайдете прості Совіньйон Блани з перенасиченим смаком, надзвичайно популярні завдяки цій концентрованості.

Шанувальники Піно Нуар, вирушайте на пошуки землистих, пікантних, концентрованих вин, що походять із холодного району **Центрального Отаґо**.

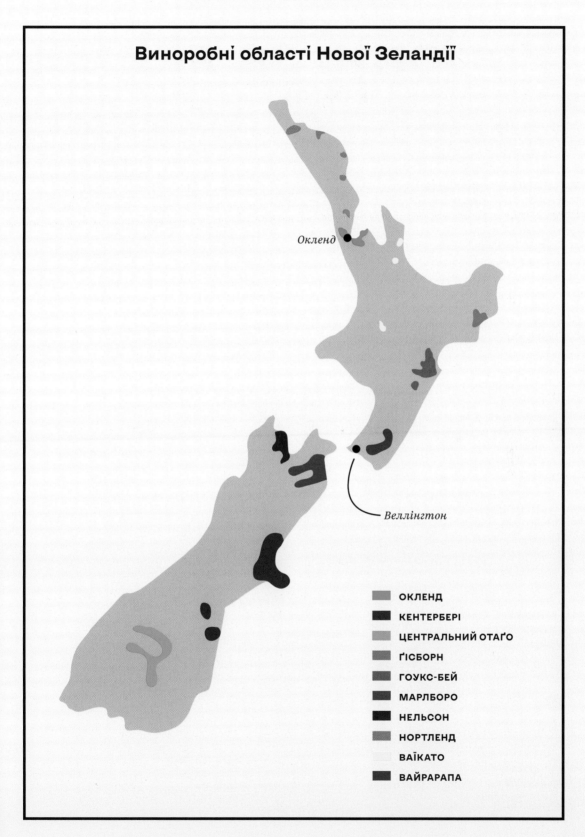

Виноробні області Нової Зеландії

Окленд

Веллінгтон

ОКЛЕНД

КЕНТЕРБЕРІ

ЦЕНТРАЛЬНИЙ ОТАҐО

ҐІСБОРН

ГОУКС-БЕЙ

МАРЛБОРО

НЕЛЬСОН

НОРТЛЕНД

ВАЇКАТО

ВАЙРАРАПА

НОВА ЗЕЛАНДІЯ

Регіони, за якими треба стежити

▶ Логічно, що у світі, де стрімко більшає шанувальників вина, ціни теж швидко зростають. Те, на що раніше можна було зрідка тринькати гроші, тепер уже поза зоною досяжності. Як недавно сказав журналістові винний критик Ерік Азімов: «У 80-ті і 90-ті для мене було розкішшю купити бордо першого прем'єр крю або ґран крю з Бургундії, але я міг це зробити. Тепер я винний критик у New York Times. Це, мабуть, найбільше, чого можна досягти в моїй професії. І я не можу дозволити собі ці вина».

На щастя, як я поясню на сторінці 169, це лише міф, що дорожче вино – краще. У всьому світі є місцевості, на чий підйом ще не звернули уваги, тому тут ви можете знайти чудові вина за адекватною ціною. Просто будьте відкриті до нового. Запитайте в сомельє, що вони люблять: вони завжди п'ють доступні вина й пишаються тим, що випереджають моду. Але не зациклюйтеся на країнах, які я тут навів. Не переставайте читати й куштувати!

Франція

Савоя
Цікаві білі

Правий берег Бордо
Доступніші купажі Мерло і Каберне Фран

Кот-Роанез
Смачні Ґаме з легким характером

Марсанне і Живрі
Недорога альтернатива Піно з Кот-де-Нюї

Макон
Білі за доступними цінами

Греція

Санторіні
Асиртіко – це їхня версія Шаблі

Македонія
Насичене і яскраве червоне Ксиномавро

Іспанія

Андалусія
Неокислені білі, схожий на бургундські сорт vijeriega

Канарські острови
Культові «Острівні вина» неймовірної якості

Ґалісія
Дуже різні стилі вина з виноградом Менсія та Альбаріньйо в основі; дуже висока цінність

Пенедес
Raventós і Blanc роблять чудові ігристі вина, і це не кава

Португалія

Дору
Страшенно цікава місцевість

Дао
Шукайте схожий на Неббіоло виноград Баґа, який також росте в Баїррраді, як і схожий на Шираз Хаєн

Алентежу
Зрозумілі, насичені червоні

Вінью Верде
Перехід від магазинних вин до розливу з одного виноградника

Чилі

Мауле, Ітата і Біо-Біо
Недорогі молоді вина з ферм, які називаються vino pípeño

Німеччина

Рейнгау
Шпетбурґундер (Піно Нуар) на рівні Бургундії

Мозель
Рислинги від таких виробників, як Францен, Лауер та Єва Фріке

Аргентина

Тупунґато
Захопливі вина з височин

Долина Уко
Нові стилі Мальбека, які виражають теруар

Неоспівані герої

Люди, чиїми винами та філософією я щиро захоплююсь.

Домінік Моро

Champagne Marie Courtin
(Шампань, Франція)

Елегантне шампанське Моро з одного виноградника, одного сорту та з одного врожаю з біодинамічно вирощеного винограду продовжують вважати революцією відтоді, як вона його випустила два десятки років тому.

Елізабетта Форадорі

Azienda Agricola Elisabetta Foradori
(Фонтанассата, Італія)

Елізабетта перепрофілювала родинну ділянку з комерційних сортів і агресивних фермерських практик на вироблення вин, що розкривають усі принади Трентіно.

Рауль Перес

Bodegas y Viñedos Raúl Pérez
(Б'єрсо, Іспанія)

Перес виробляє вина в кількох регіонах Іспанії, і всі вони дивовижно ефектні.

Жульєн Суньє

(Божоле, Франція)

Цей «натуральний» виробник створює бездоганні вина Морґон і Флері зі стовідсоткового Ґаме.

Міхаель Моосбрюґґер

Schloss Gobelsburg
(Камталь, Австрія)

У його Рислінгах і Ґрюнер Вельтлінерах відображається делікатність виноробства з мінімальним втручанням і органічного фермерства.

Раджат Парр

Domaine de la Côte
(Санта-Ріта Гіллз, Каліфорнія)

Один з кількох виноробних проєктів цього сомельє і критика; його елегантні Піно Нуари нагадують мені найкращі французькі зразки.

Ґійом д'Анжервіль

Domaine du Pélican
(Юра, Франція)

Колишній банкір перейняв легендарну ділянку Вольне в Бургундії від свого батька й опинився на висоті. Тепер він створює неймовірні вина і в Юра.

Аріанна Оккіпінті

Occhipinti Winery
(Сицилія, Італія)

Аріанна стала улюбленою фігурою нового покоління шанувальників вина. Усі, хто зустрічав Аріанну, можуть одразу ж відчути на собі її заразливий позитивний настрій, так само експресивний, як і її вина.

Монік і Тесса Ларош

Domaine Aux Moines
(Луара, Франція)

Монік і Тесса – це непомічена в широких колах команда матері й доньки з довгою історією якості. Вони й сьогодні роблять незрівнянні вина.

Поговорімо про «натуральне» вино

▶▶▶ **Жодна тема не поляризує шанувальників вина так, як «натуральне» вино.** Навіть непрофесіонали тримаються надзвичайно категоричних поглядів. Градусом ця тема не поступається політиці, «натуральне» вино має палких симпатиків та запеклих противників. Що ж до мене, то маю визнати, налаштований я скептично. Хай як я поважаю чоловіків та жінок, які його виробляють, а також смаки

й погляди моїх колег і молодих сомельє, які є прибічниками «натурального» вина, – його волатильність (летка кислотність), що призводить до швидкої зміни смаку, всі ці присмаки сидру та комбучі, цей запах мишачої шкурки, який нерідко вловлюєш, – ніщо з цього не викликає в мене особливого захвату. Втім, це цікавий тренд, і я з інтересом спостерігаю за розвитком «натуральних» вин.

▶▶▶ **Як зазначено на сторінці 42, «натуральне» вино виробляють із винограду, вирощеного за органічною та / або біодинамічною технологією, вільнодумні винороби розливають його невеликими партіями (це мене в ньому захоплює найбільше).**

У процесі виготовлення до такого вина нічого не додають і нічого з нього не вилучають. Не використовують хімічних домішок і допоміжних речовин, які часто задіяні на всіх етапах традиційного винного виробництва. Виноградний сік бродить у природний спосіб, під дією органічних дріжджових культур, за мінімального втручання, а в ідеалі – узагалі без нього, приміром – без фільтрації. Те, що розливають у пляшки, вважають живою сутністю, довершеною у своїй недосконалості.

Одним з найбільших аргументів на користь «натурального» вина є використання в мейнстрімному виробництві діоксиду сірки (SO_2). А от про що майже не згадують, то це про те, що утворення сульфітів – природний наслідок процесу ферментації. Ще сульфіти є в яблуках, зеленій спаржі та сухофруктах. Навіть у картоплі фрі! Додавання дрібки сірки перед розливом – найкращий спосіб забезпечити збереження вина протягом тривалого транспортування. Сірка зв'язує дріжджі, кисень, пігменти, цукри та інші речовини, що можуть із часом негативно вплинути на вино, та сприяє елегантнішому старінню. (Між іншим, думка, що через сульфіти може розвинутися головний біль, – це забобон. Насправді, головний біль спричиняють біогенні аміни, як-от гістамін і тирамін, а ще – надуживання.)

Вина без доданих сульфітів мають виразніший фруктовий смак та можуть видатись питкішими з першого келиха чи двох, але фруктовість вивітрюється, якщо пляшка постоїть відкритою. Ми обговорювали це з Жаном-Луї Дютревом з Domaine de la Grand'Cour, одним із провідних знавців божоле. Він розповів, що вино для приватного вжитку розливає і без додавання сірки, але останні келихи з таких пляшок – не найліпші.

Саме через цю непостійність я скептичний щодо «натуральних» вин. Оскільки моя репутація та заробітки моїх працівників залежать від того, чи прийдуть до нас знову відвідувачі, мені складно покладатися на вина, чий смак непрогнозований. Я не в захваті від того, що сидровий характер певних із них заважає упізнати навіть сорт винограду. Нещодавно я частував Крістін та її друзів «натуральним» Совіньйон Блан. Вони не змогли його розпізнати, а цей сорт має надзвичайно виразний, упізнаваний аромат! Країну походження теж було неможливо встановити. Ця неможливість ідентифікувати походження чи купаж – наслідок відмови від сірки – позбавляє мене суттєвої частини втіхи від куштування вина. І так, я усвідомлюю, що прозвучав зараз як старий буркотун.

Секретний експеримент

Я згадав про цю філософію задоволення, коли ми з Крістін повели кількох молодих гурманів та Сару Томас, надзвичайну сомельє з Le Bernardin, на дегустаційний вечір у мій улюблений тайський заклад у Квінз. Ми почали з ігристих, продовжили шардоне Sandhi 2015 Bentrock Santa Barbara і перейшли до «натурального» вина, яке принесла Сара. Потім пили сухий та напівсухий німецький Рислінг. Було страшенно захопливо спостерігати, як засяяли очі, коли я розповів, що вино, яке ми всі щойно скуштували, – «натуральне». Вони казали, що воно видалося несподіваним та новим. Для мене ж вино відгонило мишачим духом, чим я й поділився і раптом помітив, що висловившись проти загальної думки, опинився осторонь застільної розмови. Але після вечері я зауважив ще дещо: усі пляшки ми випили до денця…, окрім того «натурального» вина. І я запитав у товариства: «Чи ви замовили б другу пляшку?» Усі відповіли «ні!».

На мою думку, найкращі вина допивають ще з закусками й відразу замовляють другу пляшку.

Інші крайнощі

Ця ситуація мене зацікавила, тому я порив глибше – розпитав про «натуральне» вино кількох авторитетів виноробної галузі. Спершу – друга, Раджата Парра, суперзірку у світі сомельє і винороба (його Шардоне Sandhi я вже згадував), який часто постить pét-nats в інстаграмі. На думку Раджа, який цікавиться «натуральними» винами з 2015 року, вони «цікаві, недорогі й питкі». Хоча, з його слів, у сегменті є «море пересраних вин», але тренд розвиватиметься і якість зростатиме.

Ми близько знайомі, тому я поставив йому й кілька складніших запитань: чи йому вже не до вподоби «канонічні» вина, як-от Roulot, Domaine de la Romanée-Conti, Egon Müller, Château Latour – класика, на якій ми навчалися? Виявилося, що вони йому досі дуже смакують. Радж погодився, що не можна бути винним знавцем, не знаючи класики. Жоден екзотичний сегмент неможливо оцінити вповні, не знаючи канону.

Далі я написав одній з найвідоміших експерток з «натуральних» вин – Еліс Фейрінг, яку дуже поважаю, попри наші суттєві смакові та експертні розбіжності. Я гадав, що ми почнемо сперечатися, думав, що вона стовідсоткова противниця сірки й таке інше, тому був дуже здивований почути, що її означенням «натурального» вина є просто «використання органічних винних культур, нічого не додано й не вилучено, сірки – мінімум».

Для мене волатильність «натуральних» вин є недоліком, а Еліс вважає її чарівною особливістю. «Люблю цю експресивність і те, що наступний ковток може смакувати вже інакше, – сказала вона. – Кожна пляшка – це пригода, а не нудна розмова. Найважливіше в "натуральному" вині – емоції, які воно викликає».

Її непокоїть сучасний тренд «натурального» виноробства – «сидрові вина», яскраві, кислі й майже шипучі. «Тепер уже я почуваюся старою буркотухою, коли чую "та це ж як сидр!".

Я люблю сидр, але коли він відгонить мишами, це огидно!».

У своїй книжці The Battle for Wine and Love Еліс оплакувала «паркеризацію» винної індустрії – тенденцію виноробів по всьому світу до уніфікації вин, схильність до концентрованих, високоекстрактивних червоних, густого темного кольору та з високим градусом – усе заради вищої оцінки впливового критика Роберта Паркера. (Який, безперечно, зробив колосальний внесок у популяризацію американського виноробства.) Тепер і щодо «натурального» вина Еліс спостерігає схожі тривожні тенденції зосередження на певному стилі, на противагу розмаїттю смаків та ароматів, що ними «натуральні» вина можуть похвалитися. (Цей феномен Еліс нарекла «екшналізацією» на честь селебріті-експерта Екшна Бронсона, який підсадив міленіалів на vin de soif – питкі, сидрові, каламутні вина.) «Дехто намагається звести все [«натуральне» вино] до певного бренду», – передбачила Еліс.

Хоча екшналізацію можна розглядати як відмашку маятника паркеризації, Еліс схильна вбачати тут ринкову корекцію. «Дедалі більше виноробів повертаються до органічної дріжджової ферментації, цього не було навіть десять років тому. Усі провідні виробники зменшили використання сірки. Так «натуральне» виноробство почало впливати на класичне, повертаючи його до притомних практик».

Найцікавіше те, що ми лишили цей діалог відкритим і мали змогу відрефлексувати ту розмову опісля. Еліс написала мені, що такі глибокі відмінності наших початкових уявлень про вино стали для неї вагомим інсайтом: «Я значно відкритіша до широкого спектра смаків вина через те, що йшла до нього альтернативним шляхом, майже без формальної підготовки. А тепер з'являється молодь, знайома взагалі виключно з «натуральними» винами. Вони не бачать різниці між Шаблі та Мерсо, скажімо. Що гірше – їм узагалі байдуже!». Я хотів зауважити достеменно те саме! Еліс навіть надихнула мене влаштувати імпровізований вечір «натурального» вина в Aldo Sohm Wine Bar, який зрештою переріс у дегустаційний сет в основному меню.

■ Еліс Фейрінг
У видавництві «Yakaboo Publishing» 2020 року вийшла книжка Еліс Фейрінг «Натуральне вино для кожного». – Прим. пер.

Пошук серединного шляху

За кілька днів я мав велопрогулянку з Боббі Стакі, магістром-сомельє та співвласником ресторану Frasca Food and Wine з Боулдера, штат Колорадо. Я поділився з ним своїм досвідом у Квінз і зауважив, що почувався тоді як праворадикальний консерватор на вечірці дуже лівих лібералів. Він обміркував це й сказав: «Направду, все було навпаки, адже саме "натуральне" виноробство олдскульне й традиціоналістичне». (Знаю, знаю – контроверсійна заявочка!)

З цих розмов та публічної дискусії в гурманських і винних медіа я виснував, що довкола теми шириться забагато конфліктів та обмаль діалогу.

Важливо бути відкритими, розвиватися і навчатися. Я згоден, у гонитві за досконалістю певні винороби заходять задалеко. Свого часу необмежене використання пестицидів на виноградниках та сульфітів у вині було нормою. Дріжджові культури доселекціонували до того, що вина всього світу почали смакувати однаково. Я розумію прагнення відділитися від висококомерціалізованого ринку вин переекстрагованих, передублених та переобтяжених дизайном, поціновування крафтового виробництва та індивідуальності вина. Навіть не сповідуючи достоту «натурального» стилю, певні приватні винороби-новатори схиляються до технік із меншим втручанням у природні процеси й продукують прекрасні, якісні вина.

З другого боку, неограненість «натуральних» вин обмежує. Я вірю, що істина десь посередині. Як я навчаюся чогось, дегустуючи «натуральні» вина та спілкуючись із виноробами-крафтярами, сподіваюся, що й традиційні винороби зауважать те, до чого таке спрагле молоде покоління винолюбів, – неконвеєрні вина з душею – і повернуться до витоків у всіх сенсах слова.

Як прекрасно сказала Еліс, ваш відгук на те чи інше вино має спиратися на емоційну реакцію, без жодної зарозумілості. «Складно переоцінити важливість доброго смаку, інакше нащо взагалі пити вино?» – підсумувала вона.

МІЙ РЕЙТИНГ ТОП-10 ПРИВАТНИХ ВИНОРОБЕНЬ

▷ **Domaine Roulot**
(Мерсо, Бургундія, Франція)

▷ **Pierre-Yves Colin-Morey**
(Шассань-Монраше, Бургундія, Франція)

▷ **Domaine Gérard Boulay**
(Сансерр, Франція)

▷ **Château Pontet-Canet**
(Пояк, Бордо, Франція)

▷ **Envínate**
(Іспанія)

▷ **Borgo del Tiglio**
(Фріулі, Італія)

▷ **Johannes Leitz**
(Рейнгау, Німеччина)

▷ **Bernhard Ott**
(Ваґрам, Австрія)

▷ **Arnot-Roberts**
(Сонома, Каліфорнія)

▷ **Lingua Franca**
(долина Вілламетт, Ореґон)

МОЇ УЛЮБЛЕНІ – ТАК, Я ЦЕ СКАЗАВ – «НАТУРАЛЬНІ» ВИНОРОБИ

▷ **Thierry Allemand**
(Корна, Франція)

▷ **Jacques Lassaigne**
(Шампань, Франція)

▷ **Giuseppe Rinaldi**
(Бароло, Італія)

▷ **Christian Tschida**
(Бурґенланд, Австрія)

▷ **Giusto Occhipinti/COS**
(Сицилія, Італія)

2

Як пити

▶▶▶ Тепер, коли всі «що?», «де?» і «як?» світу вина ми вже обговорили, – час перейти до «чому?» й пізнати поєднання всіх цих чинників на язику та піднебінні. Досліджувати, що подобається саме вам, – найцікавіший етап. Де ви знайдете смаковитішу методологію? (Гаразд, за винятком, певно, шоколатьє.) Так само, як виступу в Карнеґі-хол передують роки самовідданої практики, щоб стати експертом-дегустатором вина, вам доведеться випити сотні пляшок. Утім, щоб зрозуміти, які сорти винограду, країни походження та винні регіони резонують з вашими вподобаннями, вам не доведеться перекуштувати аж стільки вин. Усе, що вам знадобиться, – хороша пам'ять. Адже здатність пояснити, що вам подобається (а може, ще й важливіше – що не подобається), сомельє в ресторані, консультанту у винній крамниці, чи навіть другові, який збирається прихопити пляшечку вина до вечері, – саме те, що допоможе їм віднайти ваш ідеальний трунок якнайшвидше.

У цьому розділі ви навчитеся дегустувати (спойлер: усе починається не з язика!), вибирати, замовляти й подавати вино та зберігати його не на полиці над холодильником чи в духовці. Хтозна, можливо, ви навіть будете готові започаткувати власну винну колекцію, якщо ви, звісно, щасливий власник приміщення з контрольованою температурою. У розділі багато інфографіки для легшого засвоєння, а також внутрішні посилання, що допоможуть прискорити процес навчання. Я не хочу перетворювати вас на винного ґіка, як сам. Радше спробую налаштувати на сприйняття всієї тієї магії, що діється у вашому келиху. Готові?

Філософія пиття Альдо

▶ ▶ ▶ **Неймовірно цікаво спостерігати, як вино протягом останніх 15 років стало лайфстайл-продуктом.**

Чим-чим стало? – Тим, з чого інші можуть скласти уявлення про вас та ваші смаки. Частиною вашої повсякденності. Раніше американці супроводжували трапезу коктейлями. Два келихи мартіні за обідом нікого не здивували б. Не те що тепер! Тепер люди в кіно попивають вино за вечерею, обговорюючи на дивані непростий робочий день, або пліткуючи на ґанку з подругою. Навіть авіаперевізники пишаються своїми винними картами авторства знаменитих сомельє. У 90-ті сама концепція «знаменитого сомельє» змусила б нас, аматорів-дегустаторів, вхопитися за боки від сміху.

Я зростав в Австрії, і вино було повсюди. Пляшку відкорковували майже щоразу, коли сім'я сідала до столу, а нам, дітям, дозволяли покуштувати вино, щойно ми зав'язували з молоком. Для дорослих келих білого чи ігристого як аперитив у ресторані був звичною річчю. Якщо вже про це зайшло – я й досі так роблю: починаю замовлення в ресторані з бокала шампанського (німецькою «grüne gaumen» означає «підготуватися до гурманського смакування», а дослівно вислів можна перекласти як «підзеленити піднебіння»), випиваю келих білого вина з першою стравою, келих червоного – з основною, а часом ще й замовляю десертного вина до солодкого.

Вино стало моїм життям у багатьох сенсах. П'ять днів на тиждень за обідом та вечерею я спостерігаю, як люди пізнають вино – задля задоволення, нових вражень, поціновуючи або підкреслюючи свій статус. Для мене особисто вино втілює радість. Його найвища цінність у здатності зближувати. Ніщо інше так не живить спілкування: чи ви відкорковуєте пляшку шампанського з друзями, чи сідаєте самі за барну стійку, щойно ви берете келих у руку – вино притягує до вас інших. З мого досвіду, замовивши келих вина, ви майже гарантовано розпочнете з кимось розмову. Такі контакти дедалі цінніші, особливо сьогодні, коли ми невідривно дивимося на екрани своїх телефонів.

Культурний аспект вина, що видається мені надзвичайним, – це його здатність оживити історію. Щораз, коли мені випадає удача скуштувати особливо старий вінтаж, я зупиняюся на хвильку, дістаю телефон і дивлюся, що відбувалося, скажімо, 1961 року, коли збирали врожай для цієї пляшки Cheval Blanc. Що діялося у світі? Що змінилося (чи лишилося незмінним)? Від певних вінтажів мурашки пробігають шкірою: я куштував вино 1945 року, воно змусило мене замислитися про неймовірні труднощі, які довелося подолати не лише щоб виготовити вино того року, а й уберегти його від спраглих солдатів. В Австрії збереглося дуже небагато пляшок, старших за 1950 рік, через німецькі та російські війська, що проходили тамтешніми землями. Вино, можливо, лише рідина, та для мене воно – закоркована історія.

Удома я п'ю дуже настроєво, тобто на мій вибір вин впливає настрій тієї миті. Переважно після роботи ввечері я випиваю пива й вкладаюся спати. Серйозно. Неділі, утім, призначені для вина. У підвалі свого будинку я тримаю близько п'яти сотень пляшок і ще більше – у винному льосі. Чи я виберу щось із льоху, чи потягнуся по пляшку Raisins Gaulois, яку купив у сусідній винній крамничці за 16 доларів, цілковито залежить від того, що ми з партнеркою готуємо, чи є якась особлива нагода, та навіть погода з температурою повітря і рівнем вологості є вагомими чинниками у виборі того, що мені хотілося б випити. Часом я почуваюся авантюрно й хочу скуштувати щось нове, як-от продукцію органічного виробника, про якого почув уперше, чи один з трофеїв насиченої подорожі Іспанією, що нею зараз насолоджуюся. Якщо вино мене не вражає, я можу відставити його, щоб скуштувати знову завтра, або використати в приготуванні страв. Я не засмучуюся, а беру від вина те, що можу, й переходжу до іншого.

Недільними вечорами я ще полюбляю зібрати товариство на вечерю в SriPraPhai – тайському закладі без наворотів у Квінз, де не забороняють приносити свій алкоголь. Часом там збирається група сомельє, і кожен приносить пляшину чи три, які ми дегустуємо й обговорюємо годинами. А часом я йду туди зі своїм сусідом та напарником по велопоїздках, Мюрреєм, якого навчаю винних премудростей. Він з дружиною дозволяють мені приносити вина (та набори келихів) і вибирати їжу. Це чудова розвага – спостерігати їхню реакцію на різні поєднання. Часом ми влаштовуємо вечори шампанського (а воно досконало поєднується з тайською кухнею), а часом – вечори Рислінгу (так само). Такі вечори присвячені відкриттям і спілкуванню, а це таке ж довершене поєднання, як добра їжа та хороше вино.

Не думаю, що варто чекати на дуже особливу нагоду, щоб відкоркувати вдома якусь ексклюзивну пляшку. Якщо наприкінці чудового дня я маю настрій на каберне Ridge 74-го року з реберцями – це достатній привід. (І то було незабутньо, повірте мені.)

Як куштувати вино (та скласти про нього враження)

▶▶▶ Попивати вино, спілкуючись із друзями, — це одне. Приділити час, щоб відчути аромат, смак та ще й придивитися до того, що наповнює ваш келих, — це вже зовсім інший досвід. Коли ви навчитеся «прислухатися» до вина, то будете вражені історіями, що воно оповідає. Мій дегустаційний ритуал доволі заплутаний і складний, тому я поясню його покроково.

У цій частині книжки ви знайдете багато ключових слів та означень, якими зможете описати властивості вина. Навчившись їх визначати й розрізняти, ви не лише вміліше дегустуватимете вино: продавцям стане простіше догодити вашим смакам, адже саме до цих означень прислухаються сомельє та працівники винних крамниць, вирішуючи, яку пляшку вам порадити.

Спершу – огляньте

▶▶▶ **Нахиліть келих так, щоб змочити вином стінки,** бажано – оглядаючи келих на світлому тлі. Підійдуть біла скатертина чи зворотний бік меню. (В ідеалі, авжеж, було б робити це при денному світлі, щоб побачити справжній колір, оскільки ресторанне освітлення переважно жовтувате й це позначається на відтінку... а втім, ви не мусите аж так прискіпуватись. Хоча, хоча...).

НАХИЛИТИ КЕЛИХ

ЩО ТАКЕ ВИННІ СЛЬОЗИ

▶ Сльози, ніжки, чи хай як ще їх називають, – це прозорі патьоки рідини або краплі, що збігають стінками келиха після того, як ним крутнули, чи підіймаються стінками вгору келиха, який постояв кілька хвилин. Вони розповідають про рівень алкоголю у вині. (Якщо розважити, то алкоголь – це газ, а отже, він випаровується. Ті хвильки, що намагаються «втекти» з келиха, якраз і є наслідком цього процесу.) Що гостріші та вужчі їхні обриси, то вищий рівень алкоголю (або перед вами десертне вино). Ширші сльози свідчать про низький рівень алкоголю, або про вінтаж з винограду, що росте в холодному кліматі.

Якщо ви п'єте червоне...

Приділіть увагу кольору: що виразніший фіолетовий відтінок, то молодше вино. Також цей відтінок може вказувати на сорти Неббіоло, Ґаме, Піно Нуар, які дають світліший фіолетовий, коли Мерло, Каберне Совіньйон та Мальбек дають майже чорнильний колір. Багато виноробів тепер дослухаються до вищого попиту на вина темнішого кольору, які споживачі нерідко (помилково) вважають якіснішими.

Затим зауважте, наскільки інтенсивний та чистий колір вина від краєчків і в глиб келиха. Що темніше вино в центрі, то грубішою була виноградна шкірка. Пурпуровий відтінок може свідчити про тривалу мацерацію. Ви помітите, що у витриманіших вин з'являється помаранчева облямівка по окружності стінок бокала. Водянисті краї свідчать про теплий клімат регіону походження або про теплий рік. Крихітні бульбашки по краях є ознакою наявності CO_2, його вміст характерний для молодих вин божоле з незначною шипучістю, в інших вин може бути свідченням дефекту.

Якщо ви п'єте біле...

Білі вина, а зокрема ті, що їх витримано в дубових бочках, з дозріванням набувають золотавішого кольору, втім, жовтуватий колір може також свідчити про окислення чи більш стиглий виноград, з якого залежно від способу бродіння виходить вино з вищим умістом алкоголю та насиченішим, повнотілішим смаком.

Зеленава облямівка видає дуже молоде вино. Мутнуваті, нефільтровані білі вина, найімовірніше, виготовлені за «натуральною» технологією. (Те саме стосується і червоних).

Потім понюхайте

▶▶▶ Ніс – ваш найважливіший орган для дегустації вин. Без відчуття запаху ви не розпізнали б навіть смаку сирої цибулини. **Встроміть носа в келих і вдихніть, губи злегка розтулені.** Які пахощі ви вловлюєте? Аромат вина чистий чи відчутні домішки запахів корка або оксидації? Що складніший букет, то ліпше.

Я люблю нюхати двічі. Сперша зосереджуюсь на загальних характеристиках. «Чи відчутні грибні нотки?», «Чи є дубові, фруктові, квіткові?», «Чи вловлюю аромати спецій?» Удруге я прокручую келих, щоб розкрити вино, і починаю уточнювати загальні характеристики конкретними деталями: «Відчуваю вишні, лакрицю, фіалку...» і так далі. Це як сформувати перше враження про когось, а тоді познайомитися з ним ближче.

Дехто з французів вірить, що прокручувати бокал потрібно проти годинникової стрілки. Вони вважають, що вино тоді розкриває інший аромат, аніж якщо крутити за годинниковою стрілкою. Спробуйте обидва варіанти й самі вирішуйте, що про це думати.

Чи потрібно прокручувати вино в келиху?

Попри ризик здатися снобом, я таки можу багато виснувати про покупця з того, як він прокручує вино в келиху. Дехто крутить келих так завзято, що вино мало не вихлюпується. Інші беруть чашу келиха в долоню. Дехто навіть погойдує келих уперед і назад. Усе це таке аматорство! Коли ж хтось береться за ніжку та піднімає бокал на кілька сантиметрів від столу, перед тим як обернути його, або навіть затискає основу ніжки між вказівним та середнім пальцями, щоб сколихнути вино, не відриваючи келиха від столу, та обертає його всього двічі, – тоді я знаю, що переді мною профі.

Та знаєте, як я вгадую справжнього винного експерта? – Він сперша принюхується. Люди зазвичай прокручують вино, тоді встромляють ніс у келих і виголошують щось штибу «Полуниця!», тоді прокручують ще раз і видають «Малина!» – і так далі. Але як на мене, це схоже на інтервальне тренування. Чому б не скласти якнайповніше враження? Я волію сперша понюхати, вхопити загальні характеристики, що вже наводив, а тоді прокрутити вино та зробити другий глибокий, зосереджений вдих, акцентуючи увагу на кожному з якнайширшого спектра вражень.

Винні аромати

*Аромати дуже часто перетікають у смаки.
Довідайтесь, котрі з них особливо імпонують вам, щоб легше
розібратись, які вина вам більше до вподоби.*

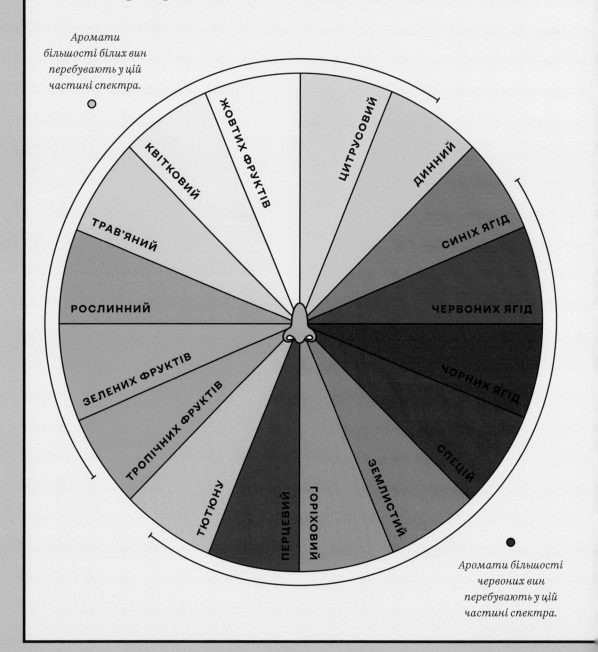

*Аромати
більшості білих вин
перебувають у цій
частині спектра.*

ЖОВТИХ ФРУКТІВ

КВІТКОВИЙ

ТРАВ'ЯНИЙ

РОСЛИННИЙ

ЗЕЛЕНИХ ФРУКТІВ

ТРОПІЧНИХ ФРУКТІВ

ТЮТЮНУ

ПЕРЦЕВИЙ

ГОРІХОВИЙ

ЗЕМЛИСТИЙ

СПЕЦІЙ

ЧОРНИХ ЯГІД

ЧЕРВОНИХ ЯГІД

СИНІХ ЯГІД

ДИННИЙ

ЦИТРУСОВИЙ

*Аромати більшості
червоних вин
перебувають у цій
частині спектра.*

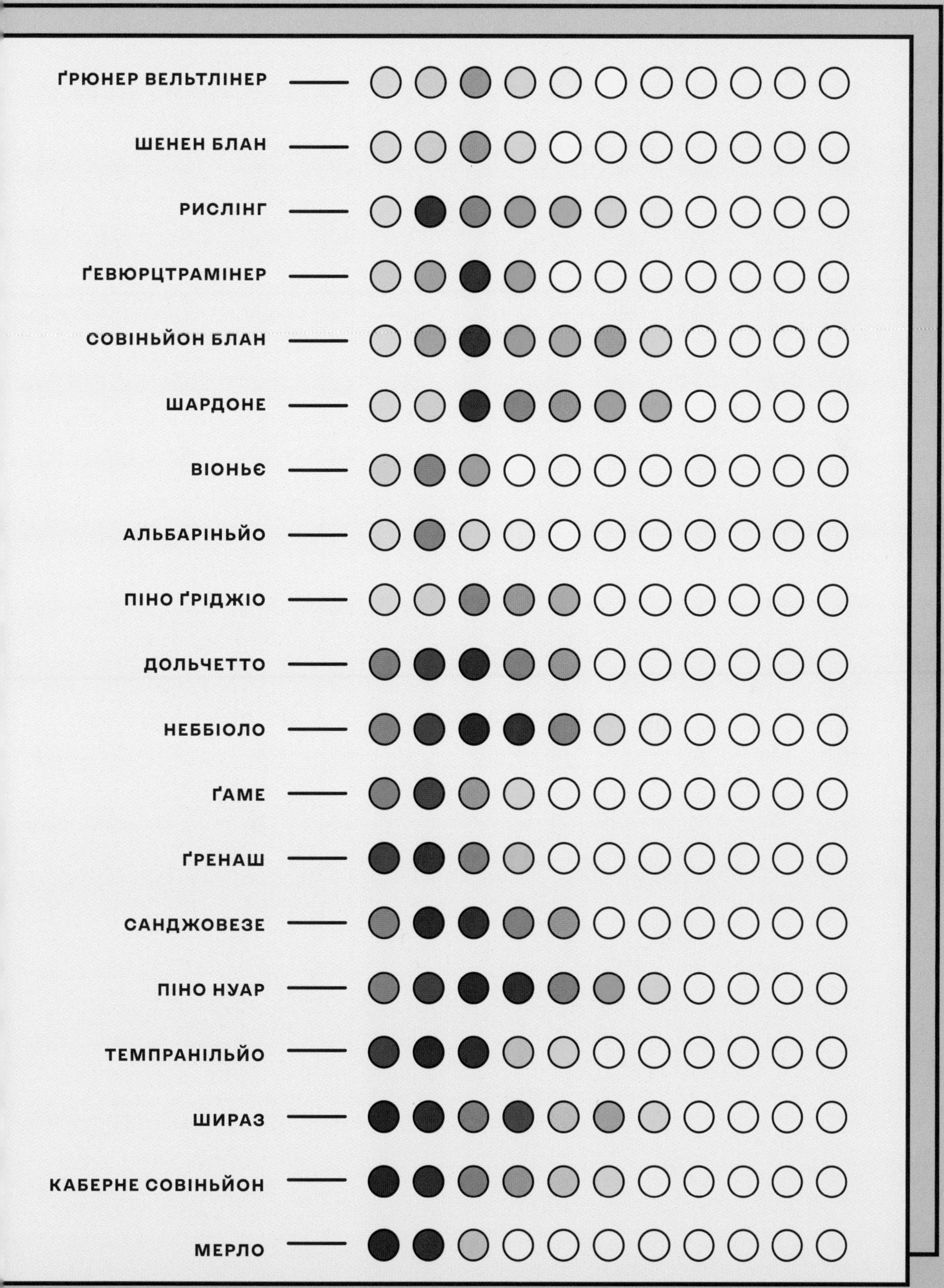

ҐРЮНЕР ВЕЛЬТЛІНЕР

ШЕНЕН БЛАН

РИСЛІНГ

ҐЕВЮРЦТРАМІНЕР

СОВІНЬЙОН БЛАН

ШАРДОНЕ

ВІОНЬЄ

АЛЬБАРІНЬЙО

ПІНО ҐРІДЖІО

ДОЛЬЧЕТТО

НЕББІОЛО

ҐАМЕ

ҐРЕНАШ

САНДЖОВЕЗЕ

ПІНО НУАР

ТЕМПРАНІЛЬЙО

ШИРАЗ

КАБЕРНЕ СОВІНЬЙОН

МЕРЛО

А тепер скуштуйте

▶▶▶ **Зробіть ковток та потримайте вино в роті кілька секунд,** дозвольте йому розтектися в кожен закуточок. Виплюньте або проковтніть. Язик «розповість» вам про основні риси цього вина.

Я дуже системний дегустатор. Це означає, що я маю власну чітку дегустаційну техніку, якої щораз дотримуюсь. Це дає мені змогу звіритися з послідовністю контрольних віх, замість щораз поринати в хаос. Для вас надзвичайно корисним буде вміння розрізняти й описувати свої вподобання серед основних характеристик винних смаків (подано на с. 154–160), це надзвичайно спростить вам вибір та купівлю вина.

МІЙ ДЕГУСТАЦІЙНИЙ ЧЕК-ЛІСТ

☐ Наскільки вино **сухе** чи **солодке**?

☐ Яка його **кислотність**? (Чи відчутне освіжне пощипування на краєчках язика або оцтові нотки? Якщо вино стимулює слиновиділення – це ще одна ознака кислотності.)

☐ **Таніни** помірні й округлі чи кусають вас за язик і висушують щоки, як ковток чифіру?

☐ Далі **алкоголь**: зробіть ковток і видихніть. Чи обпалює вино ваше горло, подібно до віскі, чи лагідно гріє?

☐ Як щодо **фруктовості**?

☐ Чи відчуваєте ви **на смак** те, що обіцяють аромати?

☐ Нарешті – чи **збалансовані** всі ці елементи? Ця гармонія, за якої жоден з аспектів не заглушує інші, – ознака доброго вина.

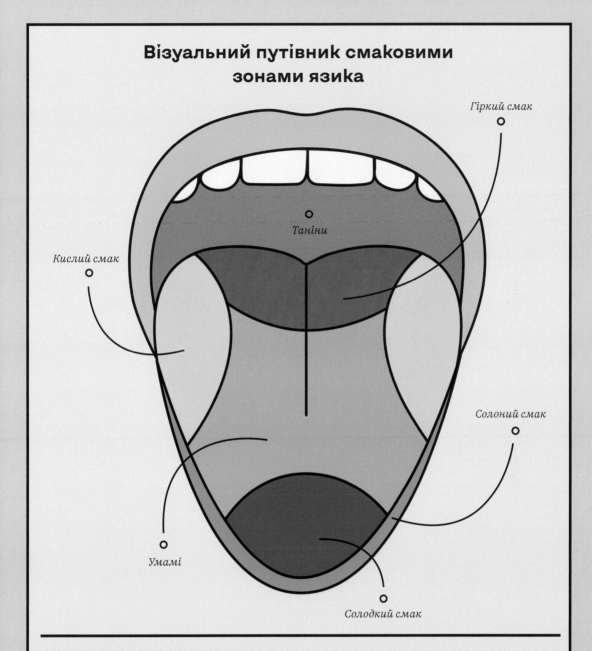

Візуальний путівник смаковими зонами язика

Гіркий смак

Таніни

Кислий смак

Солоний смак

Умамі

Солодкий смак

МІЖНАРОДНА МОВА ВИНА

▶ Я переконаний, що більшість наших ароматичних та смакових асоціацій глибоко індивідуальні й переважно формуються в дитинстві, у той період, коли ми все тягнемо до рота (дерев'яні ложки, землю, шкіряні речі, та що завгодно). **Через досі переважно європейське походження вина, багато універсальних термінів для його опису євроцентричні. Але вони не мусять бути єдиними:** якщо ви виросли поза західною культурою – використовуйте ті описи, що пробуджують смаки та запахи саме у вас. Скажімо, те, що для когось смакує полуницею, – вам може нагадувати лічі. Словник винних означень від цього стане лише цікавішим.

Розсмакуйте
таке

1

Кислотність

▶ Ця характеристика доволі проста: кислотність – це те, що змушує вас примружитись, а то й поморщитись, відпивши. Вона може віддавати лимоном чи лаймом, бути агресивною, як у зеленому яблуку Ґренні Сміт, чи м'якою, як у яблуку-груші Ґолден делішес. Я зауважую, наскільки високою є кислотність, а також наскільки свіжою. Чи інтегрована вона в тіло вина? Візьміть молоде Неббіоло чи Рислінг, чия кислотність зазвичай доволі висока, воно вибухає танінами й забиває ваш рот так, що відчути фруктові нотки практично неможливо, сомельє називають таке відчуття «тугістю». (Тому такі вина кращають з витримкою, вона розкриває їх.)

Кислотність Шаблі та шампанських вин енергійна і хрустка, як це властиво білим винам з холодніших північних регіонів. У винограді цих регіонів не такий високий уміст цукру, а оскільки він не домінує у вині – фруктова свіжість і делікатність має змогу себе виявити.

Кислотність вина спричиняє відчуття сухості напою, тобто низького вмісту залишкових цукрів.

Що менш сухе та що менш кисле вино, то більше цукру воно містить. Так цукор додають у лимонад, щоб його присмачити.

Вина з вищою кислотністю ліпше поєднуються зі стравами. Поміркуйте от про що: кислота перекриває жири, які теж потребують трохи цукру, для завершеності.

[ВИСОКА КИСЛОТНІСТЬ]

ШАМПАНСЬКІ

РИСЛІНГИ

ШЕНЕН БЛАН

ШАБЛІ

АЛЬБАРІНЬЙО

МЮСКАДЕ

САНСЕР

БІЛЕ БУРГУНДСЬКЕ

ШАРДОНЕ
(Санта-Барбара, Каліфорнія)

НЕББІОЛО

ҐАМЕ

ПІНО НУАР
(Бургундія)

ШИРАЗ
(Північна Рона)

РІОХА

КАБЕРНЕ ФРАН

БОРДО
(лівий берег)

ҐРЮНЕР ВЕЛЬТЛІНЕР

СОВІНЬЙОН БЛАН
(Новий світ)

ШАРДОНЕ

ПІНО НУАР
(Сонома)

КОНДРІЄ / ВІОНЬЄ

МАРСАН / РУСАН

КАБЕРНЕ
(штат Вашингтон)

ЗИНФАНДЕЛЬ

МАЛЬБЕК

[НИЗЬКА КИСЛОТНІСТЬ]

МЕРЛО

КАБЕРНЕ СОВІНЬЙОН

ШИРАЗ *(Австралія)*

МАЛЬБЕК

ШАТОНЕФ-ДЮ-ПАП

БОРДО *(правий берег)*

НЕРО Д'АВОЛА

ПІНОТАЖ

ПОВНОТІЛІ ВИНА

ШИРАЗ

РІОХА

БОРДО *(лівий берег)*

ПІНО НУАР

ПОМІРНО НАСИЧЕНІ ВИНА

ШАРДОНЕ *(від легких до середньотілих та повнотілих, залежно від регіону походження та технології вироблення)*

СОВІНЬЙОН БЛАН

ШАМПАНСЬКІ ВИНА *(найширший спектр)*

НЕББІОЛО

ТЕМПРАНІЛЬЙО

САНДЖОВЕЗЕ

КАБЕРНЕ ФРАН

САНСЕР

СЕРЕДНЬОТІЛІ ВИНА

ҐАМЕ

АЛЬБАРІНЬЙО

РОЗЕ *(Прованс)*

ПІНО ҐРІДЖІО

ПОМІРНО ЛЕГКІ ВИНА

ФРІУЛАНО

ҐРЮНЕР ВЕЛЬТЛІНЕР

МЮСКАДЕ

ВІНЬЮ ВЕРДЕ

РИСЛІНГ

РОЗЕ

ЛЕГКІ ВИНА

2
Тіло
(повнотілі, середньотілі та легкі)

▶ Винне тіло ми відчуваємо на язику та в усій порожнині рота, аж до верху піднебіння. Кілька секунд потримайте вино в роті, відчуйте його щільність. Ця текстура чи відчуття в роті допоможуть вам визначити сорт винограду та клімат регіону його походження. Візьміть легке розе: воно виразно чисте й освіжне. Його можна попивати, як мінералочку. Зинфандель солодкавіше, а Мурведр значно щільніше та повніше, що є наслідком цупкішої фенольної структури.

3
Алкоголь

▶ Алкоголь – це як жир у вині. Що?! – Алкоголь, певною мірою, підсилювач смаку у вині.

За надміру алкоголю вино стає міцним і зігріває так сильно, що майже обпікає язик. Згадайте такі слабоалкогольні червоні вина, як божоле, що смакують значно легше, порівняно з різкими, виразними Каберне Совіньйон з Долини Напа, вищий уміст алкоголю в яких робить їхній смак значно яскравішим та виразнішим. Ця оксамитна, м'яка джемовість також додає вину питкості, а от надмір алкоголю обпікає горло, такі вина називають «гарячими».

Вищий уміст цукру дає вищу міцність вина, від 13,5 до 16 % – це зазвичай свідчить про те, що вино походить з регіонів із теплішим кліматом. Зараз, коли всі перейняті здоровим харчуванням, виробники схиляються до менш міцних вин навіть у Каліфорнії, де вина 16,5 % градусів не є чимось нечуваним.

[ВИСОКА МІЦНІСТЬ]

ЗИНФАНДЕЛЬ

МУРВЕДР

ҐРЕНАШ

КАБЕРНЕ СОВІНЬЙОН
(Долина Напа)

МЕРЛО
(правий берег Бордо)

БРУНЕЛЛО

НЕРО Д'АВОЛА

РІБЕРА ДЕЛЬ ДУЕРО

ТОРО

ШИРАЗ
*(Австралія,
від середньоміцного до міцного)*

МАЛЬБЕК

ҐЕВЮРЦТРАМІНЕР

ВІОНЬЄ

ШЕНЕН БЛАН

ШАРДОНЕ
*(від середньоміцного
до міцного)*

ҐРЮНЕР ВЕЛЬТЛІНЕР

ПІНО ҐРІ
(Ельзас)

САНСЕР
*(від середньоміцного
до міцного)*

ШАБЛІ

РИСЛІНГ
(залежно від стилю)

АЛЬБАРІНЬЙО

ПІНО ҐРІДЖІО

ШАМПАНСЬКЕ

РОЗЕ

МЮСКАДЕ

ВІНЬЮ ВЕРДЕ

[НИЗЬКА МІЦНІСТЬ]

4
Таніни

▶ Таніни ми вловлюємо середньою частиною язика й відчуваємо як гіркоту чи в'язкий ефект. Дехто вважає, що терпкість і «сухість» вина взаємозалежні, але насправді таніни просто висушують піднебіння, створюючи враження, що вам потрібно ковтнути водички. Вони не впливають і на солодкість вина. Молоді Бароло чи бордо можуть бути надміру терпкими замолоду, через співвідношення соку / шкірок / кісточок, але ці вина стають м'якшими з віком. Однак якщо вино містить різкі зелені таніни, через те, що виноград чавили зі ще зеленими кісточками, замість стиглих коричневих, то воно ніколи не дозріє належним чином, хай скільки часу ви йому вділите.

5
Солодкість
(сухе, напівсухе, солодке)

▶ Якщо зовсім просто, то сухе – протилежність солодкого, а напівсухе – десь посередині між цими двома характеристиками. Ви відчуваєте рівень цукру на кінчику язика. Якщо вино не солодке на смак, це не означає, що в ньому нема цукру, вина з 0 % цукру не існує. Нема таких дріжджів, що могли б ферментувати геть-чисто весь цукор з виноградного соку, та якби дріжджі й спромоглися на це, то пити таке вино було б нестерпно. Сухе від напівсухого вина нам часто заважає відрізнити рівень його кислотності. (Так шампанські вина ми нерідко сприймаємо за сухі, через високу кислотність, а вони часто містять до 10 грамів цукру на літр, це чимало!)

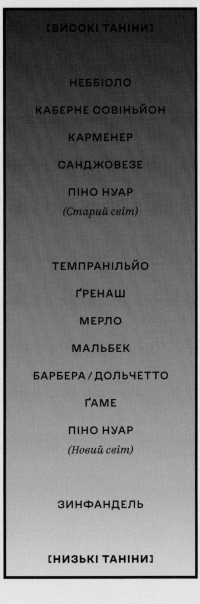

[ВИСОКІ ТАНІНИ]

НЕББІОЛО
КАБЕРНЕ СОВІНЬЙОН
КАРМЕНЕР
САНДЖОВЕЗЕ
ПІНО НУАР
(Старий світ)

ТЕМПРАНІЛЬЙО
ҐРЕНАШ
МЕРЛО
МАЛЬБЕК
БАРБЕРА / ДОЛЬЧЕТТО
ҐАМЕ
ПІНО НУАР
(Новий світ)

ЗИНФАНДЕЛЬ

[НИЗЬКІ ТАНІНИ]

Якщо ваше вино надто танінне, декантування чи аерація часто дуже помічні: фруктові ноти розкриються трохи швидше. Детальніше розповідатиму на сторінці 212.

6
Присмаки

▶ Пригадуєте палітру винних ароматів на сторінці 150? Тепер довідаємося, чи вони так само розпізнаються й на язику. Як і аромати, смакові враження дуже індивідуальні й пов'язані з вашим архівом спогадів. Не варто надто заморочуватись і наслідувати героя документальної стрічки Somm, який описав одне з вин, як «подрібнені тенісні м'ячики з ноткою садової альтанки». Та якщо це достеменно ті асоціації, якими вам відгукується вино, – не стримуйтесь. Смаковий спектр безмежний. Нижче я подам лише основні категорії. Зауважте, що часом смаки не мають стосунку до винограду як такого – мінеральність визначає ґрунт, на якому ріс виноград, а дубовий присмак, звісно, від бочки, барила чи іншої посудини, у якій вино витримували.

■ **Somm**
Американська документальна стрічка 2012 року, у якій четверо сомельє готуються до надзвичайно складної професійної атестації на рівень Master Sommelier.

Трав'янисті

Ці «зелені» смаки я умовно поділяю на м'які трав'яні (м'ята, чебрець і подібні) та деревні й рослинні, як-от розмарин та евкаліпт.

Фруктові

Вловлюєте смак червоних ягід, полуниці чи малини? Червоної сливи чи журавлини? А можливо, чорних ягід, як ожина, смородина або й черемха? А як щодо оливки? (Також трапляються «джемовіші» присмаки сухофруктів та екзотичніших тропічних фруктів, деревних плодів і дині.)

Мінеральні

За цю характеристику відповідає ґрунт, на якому ріс виноград. Смаковий профіль вина може містити нотки мокрого каміння, вулканічний чи крейдяний відтінок, присмак дощу на асфальті чи холодний, димчастий відголосок згаслого багаття... ну, ви зрозуміли. У колах поціновувачів вина побутує думка, що американські сомельє намагаються розсмакувати фрукти, а європейські – вишукують присмаки ґрунтів. Стосовно мене це правда – я зосереджуюся на мінеральних відтінках смаку, які, мені здається, точніше розповідають про походження вина.

Землисті

У цій категорії присмаки грибів, трюфеля, шкіри, осіннього листя, моху й подібні.

Дубовий присмак

Цей смак у всіх на слуху, досягається витримкою вина в дубовій бочці чи барилі або на дубовій трісці. Палітра дубових нот включає ваніль, теплий відтінок деревного диму, свіжоспеченого хліба й навіть кропу чи фенхелю. Фенхель, найімовірніше, вказує на дуб американського походження.

ВАЙНХАК АЛЬДО

І наприкінці я ставлю собі останнє дегустаційне запитання: скільки я заплатив би за це вино? Це допомагає мені зваженіше його оцінити.

І нарешті – обміркуйте

▶▶▶ Дайте собі хвильку, щоб розсмакувати фініш вина, а тоді **поміркуйте про свої враження**. Певні вина, як розе, – прості й освіжні. Інші, як витримане бордо, лишають тривалий післясмак, розкриваючи нові шари смаку часом ще протягом десяти або й більше секунд. Такі висококласні вина варті вашої уваги, їх слід розсмакувати й обміркувати, а не заковтувати, теревенячи з друзями. У світі винолюбів найвище цінують не силу смаку, а тривалість післясмаку.

ДАЙТЕ ВИНУ ШАНС

▶ Навіть коли мені не подобається смак вина, я продовжую дослухатися до нього ще певний час. Чому? Коли ви відкорковуєте пляшку – це як мить народження, а дозрілими повнолітніми не народжується ніхто! Вино розкривається з часом і демонструє нові шари смаків. На початку воно може пахнути доволі мускусно, потім відкрити кілька фруктових нот, перш ніж зовсім затихне, а після того, за годину чи дві – навіть може знов розкритися вже, приміром, виразним присмаком малини. Нема жодного магічного проміжку часу чи точної формули, щоб розрахувати, чи це відбудеться й коли. Вам лишається тільки куштувати й куштувати.

Рекомендації вин відповідно до ваших смаків, настрою та нагоди

ВИНА, ВІДПОВІДНО ДО

Смакових уподобань

«Я люблю…» та «Я шукаю…» — слова, які я чую найчастіше. Ось кілька найпопулярніших уподобань та відповідні пропозиції, від загальних до точкових.

	Я ЛЮБЛЮ…	ЗАГАЛЬНИЙ НАПРЯМ	ВАША ПЛЯШКА
1	Виразні червоні	шукайте Каберне, Мальбек або Зинфандель	● Luca Malbec
2	Незвичні червоні	поцікавтеся «натуральним» вином	● червоні вина Жана-Франсуа Ґанева (Jean-François Ganevat)
3	Прості червоні	познайомтеся з іспанськими винами	● Arlanza La Vallada, Olivier Rivière
4	Дуже сухі білі	зосередьтеся на прохолодних приморських регіонах, як Мюскаде, узбережжя Сономи, Ріас Байшас	● Orthogneiss muscadet від Domaine de la Pépière
5	Повнотілі білі	Ґренаш Блан має вам підійти	● Le Cigare Blanc grenache blanc, Bonny Doon
6	Білі з дубовими нотками	усі Шардоне Долини Напа	● Patz & Hall (узбережжя Сономи)
7	Некислі білі	беріть Віоньє	● Les Vignes d'à Côté, Cave Yves Cuilleron
8	Мутнуваті білі	зверніть увагу на вина, витримані в амфорах	● Pithos Bianco, COS
9	Виразно мінеральні білі	довіртеся Європі	● Chablis, Domaine Louis Michel & Fils
10	Солонуваті білі	вам слід шукати Альбаріньо чи середземноморське біле	● Leirana albarico, Bodegas Forjas del Salnes

ВИНА ПІД

Настрій

Я завжди кажу, що п'ю під настрій. Це не означає, що я накочую з горя. Ідеться радше про те, що зміна погоди чи складне добирання додому з роботи більше вплинуть на мій вибір напою, аніж те, що буде на вечерю.

	НАСТРІЙ	ЗАГАЛЬНИЙ НАПРЯМ	ВАША ПЛЯШКА
1	**«Надворі гаряче й задушливо, хочу чогось освіжного»**	Альбаріньйо, розе (спробуйте щось з Лонг-Айленду або Санторіні)	● Thalassitis Assyrtiko, Gai'a Wines
2	**«Маю настрій на якесь складніше вино»**	Дослідіть Шираз із Північної Рони та п'ємонтські червоні або навіть марсалу	● Marsala Superiore 10-Year Riserva (NV), Marco De Bartoli
3	**«Це був непростий день, хочу себе потішити»**	Відкоркуйте міні-пляшку шампанського	● Roederer Estate sparkling wine
4	**«Для досконалого осіннього дня»**	Бароло з Північного П'ємонту ідеально доповнить ваші страви	● Spanna Colline Novaresi, Antonio Vallana e Figlio
5	**«Жах надворі, рятуйте!»**	Час для цілої пляшки шампанського!	● Christophe Mignon pinot meunier
6	**«Маю настрій на щось смачненьке та не надто складне»**	Червоне бордо, каліфорнійське Піно Нуар, тосканські червоні вина	● Pinot Noir, «The Pip», Clendenen Family Vineyards
7	**«Хочеться чогось "натурального"»**	Вина, витримані в амфорах, вина Фріулі, pét-nat	● No Sapiens, Bichi

ЯКЩО ВАМ ПОДОБАЄТЬСЯ ВИНО X, СКУШТУЙТЕ Ⓨ, НА ШЛЯХУ ДО Ⓩ

БІЛІ

Ґрюнер Вельтлінер ▷ Піно Ґріджіо ▷▷ Альбаріньйо

Совіньйон Блан (Долина Напа) ▷ Совіньйон Блан (південноафриканський) ▷▷ Біле бордо

Бургундське біле ▷ Шардоне (Санта-Барбара) ▷▷ Ґодельйо

Каліфорнійські Шардоне ▷ Австралійські Шардоне ▷▷ Італійські Шардоне

Брендове шампанське ▷ Grower Champagne ▷▷ Креман

Піно Ґріджіо ▷ П'ємонтський Арнеїс ▷▷ Аргентинські Торронтес

Новозеландський Совіньйон Блан ▷ Австралійський Совіньйон Блан ▷▷ Совіньйон Блан з Альто-Адідже

ЧЕРВОНІ

Аргентинський Мальбек ▷ Каліфорнійський Зинфандель ▷▷ Ланґедок-Руссільйонський Каріньян

Каберне Совіньйон з Бордо ▷ Супертоскана ▷▷ Шираз із Північної Рони

Піно Нуар ▷ Іспанська Ґарнача ▷▷ Неббіоло з Північного П'ємонту

Божоле Нуво ▷ Морґон ▷▷ Пінотаж

Мерло ▷ Карменер ▷▷ Терольдеґо з Альто-Адідже

Шираз ▷ Менсія Ribeira Sacra ▷▷ Австралійське Блуфранкіш

■ **Grower Champagne (англ.)**
або Récoltant-Manipulant (фр.) – шампанське, вироблене тим самим виногосподарством, що й вирощує виноград. На етикетці може позначатися як «RM».

■ **Super Tuscan,**
або супертосканські вина – червоний купаж вина, виготовлений у Тоскані з нетипових для регіону сортів.

ВИНА ДЛЯ ПЕВНОЇ

Нагоди

Що саме пити, часто залежить від того, з якого приводу й де ви питимете: ви не витягнете витримане бордо на барбекю і не святкуватимете тридцятиріччя першим-ліпшим Просекко (сподіваюся).

	НАГОДА	ЗАГАЛЬНИЙ НАПРЯМ	ВАША ПЛЯШКА
1	**Запрошення на вечерю з невідомим меню**	Ґрюнер Вельтлінер завжди підійде, як і креман	● Grüner Veltliner Lois, Weingut Fred Loimer
2	**Коктейльна вечірка**	Просекко, розе, Шаблі	● Domaine de Triennes rosé
3	**Пікнік**	Легкі червоні, як божоле чи Санджовезе	● Éclat de Granité Côte Roannaise Domaine Sérol
4	**День подяки / Різдво**	Легке Піно Нуар з узбережжя Сономи, Ґаме, легкий Зинфандель	● Pinot Noir, Barda, Bodega Chacra
5	**Вівторок без особливого приводу**	міні-пляшка чогось прикольного	● Chianti Classico, Fèlsina
6	**Недільне соте**	Тілисті іспанські червоні	● Rioja Crianza, Señorio de P. Peciña
7	**Травневі свята**	Домашнє розе	● Ode to Lulu Rosé of Mourvèdre

НАЙКРАЩЕ ВИНО ДЛЯ КОЖНОЇ НАГОДИ

Варіанти «не за всі гроші світу ($)» та «дайте собі волю ($$$)»

▽	▽	▽	▽	▽
День народження	**Ювілей**	**Вечірка у друзів**	**Подарунок господині**	**Барбекю**
($) маґнум ігристого Raventós	($) Santa Barbara County Chardonnay	($) Vietti Nebbiolo Perbacco	($) Fèlsina Chianti Classico	($) Lapierre Raisins Gaulois
($$$) маґнум шампанського Krug	($$$) Joseph Drouhin Meursault	($$$) Fass 4 Grüner Veltliner, Bernhard Ott	($$$) Gaja Barbaresco	($$$) Saint-Joseph, Domaine Jean-Louis Chave

Винні міфи розвінчано!

Що світліший колір, то легше вино.

Ніт. Часом Піно Нуар, що може бути доволі світлим і прозорим, має міцність 14%.

Що товстіше скло, то ліпше вино.

Оце вже чистісінький маркетинг. Вигляд пляшки може бути солідний, але це зовсім не свідчить про її вміст.
Виробник цим вклався в упаковку, а не в саме вино.

Що довше декантувати вино, то ліпшим воно стає.

Ну-у-у-у-у-у-у... мої думки з приводу декантування я подаю на сторінках 212–213. Коли ви аерували вино чи то, інакше кажучи, піддали його дії кисню – те, що з нього вивітрилося, назад уже не повернеться.

Вина з кришками-закрутками нижчої якості.

Не конче! Насправді, корок може виявитися навіть більшим ризиком: поганий корок здатний зіпсувати вино.

Усі Шардоне вершково-масляністі та з виразною дубовою нотою.

Шардоне – дуже непостійний сорт, як шеф на кухні: усе залежить від того, що йому заманеться приготувати.

Дорогі «іменитi» вина варті своєї ціни.

Витративши 150 доларів на пляшку вина відомого шато, ви не гарантуєте собі екстраординарного досвіду. Передовсім такі вина розраховані на роки дозрівання, тож відкоркувавши його відразу, ви можете бути неприємно вражені смаком. Стосовно ж ціни – мені цікавіше досліджувати менш знані регіони та сорти в пошуках прихованих діамантів.

Біле вино не визріває.

З одного боку, більшість білих вин, а особливо – дешевших, найкраще спожити протягом року чи двох після розливу. З другого – складніші сорти, як Ґевюрцтрамінер, Шенен Блан, Шаблі та Рислінг, можуть розкішно дозріти за десяток років.

Як купувати і замовляти вино

▶▶▶ Дочитавши до цього місця, ви вже довідалися про вино і власні смаки достатньо, щоб скерувати сомельє чи офіціанта в підборі чудової пляшки, яка потішить вас умістом і не відлякає ціною. Навіть якщо ви спантеличитесь і забудете геть усе, що прочитали, найважливіше пам'ятати: завжди краще чесно сказати, що на вині ви не надто знаєтесь, ніж прикидатися, що ви бозна-який винний критик, мало не наступний Роберт Паркер. Саме з таким апломбом ми зазвичай верземо найосоружніші дурниці штибу «Я не великий шанувальник Шардоне, а от від Білого бургундського ніколи не відмовлюся» (а це те саме вино! Від таких помилок вас убереже список на с. 57). А загалом, розслабтеся – це ж просто вино! Усе не так страшно, як з кепським вибором автівки, – у найгіршому разі ви зmiete в раковину доларів п'ятдесят.

Скажіть, що вам смакує

Тут до ваших послуг широкий спектр прикметників, враження від попередніх досвідів і уявлення про особливості певних винних регіонів. Усе це допоможе вам задати напрямок до вашої ідеальної пляшки.

«Мені подобаються виразно мінеральні, світлі, яскраві білі вина, як ті, що моя подруга минулого літа привезла з Греції. Без оцих фруктових ноток. Маєте щось подібне?».

«Я певен, що не люблю Мерло й австралійський Шираз, вони заглушують собою все, надто міцні. Можливо, ви порадите мені якісь легші червоні вина?».

«Я люблю каліфорнійські Каберне, але готова спробувати щось трохи несподіваніше».

«Мені дуже сподобалось це вино (тут ви показуєте свій телефон, на якому ніби за помахом чарівної палички з'являється фото вподобаної пляшки, – дивіться пораду правіше). Воно було мутнувате, дуже незвичне й, здається, трохи шипуче».

Вайнхак!

Фотографуйте пляшки вин, які вам сподобались, та зберігайте до спеціальної течки, щоб завжди **мати потрібну етикетку під рукою.** Якщо хочете підійти до цього зовсім серйозно, то спробуйте застосунок Delectable Wine, який допоможе вам упорядкувати та не розгубити свої улюблені вина.

Повідомте, на яку розраховуєте ціну

Найпростіше це зробити, просто сказавши, який діапазон для вас прийнятний. Якщо це для вас не дуже зручно, розпитайте про кілька різних вин у потрібному діапазоні, приміром: «Як у вас із Піно Ґріджіо в категорії до 45 доларів за пляшку? А як щодо Ширазу в сегменті до 60 доларів?».

Уточніть, до яких страв обираєте вино

Те, їстимете ви лосося чи тунця, може суттєво вплинути на вибір вина. Якщо ви шукаєте пляшку до вечері у винній крамниці, скажіть, що у вас в меню. Фахівець винної справи завжди буде радий цікавому завданню! Так, моя співавторка, Крістін, дає працівникам у локальній крамничці Terry's меню своєї вечірки та діапазон ціни, а запрошених гостей відправляє купувати вже відібрані відповідно пляшки, це убезпечує від потенційних нестиковок. У ресторані, авжеж, із цим ще простіше.

Вайнхак!

Намагайтеся уникати слова «фруктовий», деякі знавці вина інтерпретують його як солодкість. У результаті вам можуть запропонувати пляшку Рислінгу, який вам не смакуватиме. Натомість, описуючи цю властивість Совіньйон Блану і подібних, кажіть «ароматний».

Щодо цін на вино...

Що визначає ціну пляшки?

Матеріали упаковки

▷ Пляшки
▷ Корка
▷ Етикетки

Виробничі витрати

▷ Оплата **праці**
▷ **Угіддя** (що складніший рельєф виноградника, то трудомісткіший догляд за ним)
▷ **Ексклюзивність** (визначається доступністю конкретного вина)
▷ Інвестиції у виробничі **приміщення**
▷ Використання (чи ні) **дубових бочок** для витримки.

Логістика, імпорт, податки, ліцензування та мита

У світі вина шляху Стіва Джобса ви не повторите: щоб наварити бодай невеличкі статки на вині, інвестувати в нього доведеться значно більший капітал.

ОСНОВНЕ

Чому певні вина коштують тисячі доларів за пляшку?

Високі витрати на оплату праці, дорога земля та утримання угідь, чинник рідкісності / культовості (чудовий вінтаж особливого року, рідкісний чи розрекламований сорт, обмежений обсяг розливу і так далі) та сам ринок вина. Винороб встановлює ціну, але вкрай рідко одержує всю виручку, хіба коли сам і продає кінцевому споживачеві, а таке трапляється дуже нечасто.

Чи все вино варте встановленої ціни?

І це дуже непросте питання! Вина стають складнішими, багатошаровішими (та вибагливішими до рівня поціновувача), що вище вони в ціновому діапазоні. Якщо вам цікаво, чи варто взяти пляшку за 50 доларів порівняно з двадцятидоларовою, то, з огляду на привід, імовірно, варто. Дорожчі марки можуть запропонувати складніший смак, але часом вам якраз і хотітиметься простішого, легшого для сприйняття вина. У категорії двадцятидоларових пляшок можуть траплятися чудові відкриття, особливо з молодих винних регіонів, які лише розвиваються. Загалом орієнтуйтеся на власні смакові преференції та особливості кожної конкретної нагоди.

▲

Як розпізнати хорошу пропозицію, не носячи всюди гід світових виноробень?

Тут до ваших послуг широкий спектр прикметників, враження від попередніх досвідів і уявлення про особливості певних винних регіонів. Усе це допоможе вам задати напрямок до вашої ідеальної пляшки.

Базові цінові гайдлайни

До 12 доларів

на такому вині можна готувати.

Від 15 до 20 доларів

прості вина, нічого особливого. Основною темою вашого вечора вони не стануть.

Від 20 до 50 доларів

тут можна натрапити на справді хороші вина, особливо з молодих винних регіонів.

Від 50 до 75 доларів

за цю суму ви спокійно знайдете добре вино від знаного виробника.

Від 75 до 100 доларів

чудові трунки. #побавсебе, #selfcare

Усе вище за 100 доларів

Марнотратство! Попереджаю: так можна зіпсувати собі смак.

Пам'ятайте, ви завжди одержите краще вино у своєму ціновому діапазоні, якщо виберете секції не культових, а молодих винних регіонів.

НАЙКРАЩІ ВИНА ЗА СВОЮ ЦІНУ

(або ті, що вартують більше, ніж коштують)

☐ Іспанські червоні та білі

☐ Португальські червоні та білі

☐ Луарські білі

☐ Вина центральних регіонів Франції (Côte Roannaise)

☐ Савойські вина

☐ Червоні вина північного берега Рони

☐ Білі вина Санторіні

☐ Вино з будь-якого слаборозвиненого регіону – саме там зараз найцікавіше

☐ Витримані Ріслінги

☐ Шеррі

☐ Ґрюнер Вельтлінер завжди недооцінюють!

☐ Сицилійські червоні надзвичайно варті уваги

☐ Кремани можуть бути неймовірно цікавими

☐ Продукція околиць Санта-Барбари й Санта-Круза зазвичай найкраща за співвідношенням ціни та якості

☐ У Чилі відкрилося друге дихання, зверніть увагу на регіони Ітата і Біо-Біо.

☐ Червоні та білі вина Канарських островів

ЦІНИ НА ВИНО

173

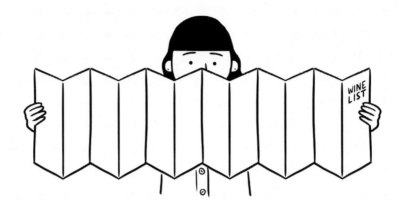

Вибираючи пляшку вина в ресторані

▶▶▶ Мені легко це радити, **але не соромтеся!** Ви платите за досвід перебування в ресторані, то чому ж не насолодитися ним на повну? Я маю на увазі, що робота сомельє знати не тільки кожну пляшку в меню, а й кожну страву в цьому ж меню, а що найважливіше – розуміти, як вони поєднуються. Ви ж маєте лише по змозі точно окреслити, чого вам хотілося б, і дати чіткий ціновий діапазон.

Якщо ви робите замовлення для компанії друзів, то спробуйте дослідити їхні смаки. Ставте їм запитання, розговоріть їх про те, що їм подобається, а що – ні. На яку ціну вони розраховують? Не будьте тим козлом, що красиво замовляє пляшку дорогого шампанського, коли всім іншим хотілося простішого червоного вина.

Коли доходить до ціни, пальцем вказувати можна.

Правила етикету віддавна мають особливі винятки: спілкуючись із сомельє, вкажіть пальцем у меню на ціну, що вам підходить, і скажіть: «Ми хотіли б щось у цьому діапазоні». Так ваша пасія не знатиме, як багато (чи мало) ви витратите на вино.

НАМАГАЙСЯ УНИКАТИ…

□ Не замовляйте «в районі Х доларів», зазвичай продавці, офіціанти й сомельє пропонуватимуть щось відсотків на 20 дорожче названої суми. Краще просити «пляшку вина за ціною в діапазоні від Х до Z доларів». Або можете попросити пляшку за ціною до Z і додати «або нижче».

□ Не варто просити щось «за середньою ціною»: у хорошому ресторані середньою ціною за пляшку для сомельє може бути й 200 доларів. Потенційно таке непорозуміння буде печальним і може зіпсувати чудовий вечір.

Підготуватися теж не гріх.

Якщо ви таки хочете справити враження на побаченні чи на своїх гостей, то маєте два варіанти: або прогляньте винну карту й меню онлайн заздалегідь, щоб спланувати оптимальні варіанти замовлень та кілька запасних, або можете самі прийти хвилин на двадцять раніше за інших, щоб порадитися із сомельє та визначити варіанти білого й червоного вина… Тим часом, може, таки замовте собі бокальчик шампанського, щоб угамувати дрижаки.

Скажіть своєму офіціантові чи сомельє, що збираєтеся замовляти з їжі.

Це може бути не надто зручно, коли замовлення напоїв у вас братимуть ще до замовлення страв, але в кожному разі краще взяти хвилинку й проглянути спершу основне меню. Якщо двоє планують замовляти рибу, а інші двоє — стейк, то ви зрозумієте, що варто взяти на всіх пляшку чогось універсального, як шампанське. Також ви не помилитесь, відразу замовивши пляшку шампанського чи хрусткого білого вина для початку, даючи всім час визначитися зі стравами. Ці вина добре підготують смакові рецептори й зададуть настрій за столом.

Використовуйте «чарівні запитання».

Спитайте будь-якого сомельє «Від якого вина ви в найбільшому захваті?» або «Що тут найприємніше п'ється?». Це не лише спонукає його скерувати вас у бік тих частин винної карти, якими він чи вона пишаються найбільше, — ви маєте всі шанси зробити несподіване відкриття, а може, й знайти нового приятеля. Назвіть сомельє кілька характеристик, які ви любите у винах, задайте ціновий діапазон і дозвольте їм похвалитися тим, що мають. Я неодмінно використовую цю стратегію, коли вечеряю в ресторані з величезною винною картою.

В РЕСТОРАНІ

○

Обіграйте винну карту
Не обирайте найдорожчу пляшку, але й не ведіться на найдешевшу. Тримайтеся золотої середини – не помилитесь.

Козирі у винних картах

▶▶▶ «Яка ваша найвигідніша пропозиція?» – це, напевно, найгірше запитання, що можна поставити сомельє. Ось вам утрирувана відповідь, яку я жартома дав одному клієнтові, вказуючи на ультрарідкісну пляшку-маґнум Монраше від культової виноробні Domaine de la Romanée-Conti за 10 тисяч доларів. Він запитав: «Ви здуріли?». А я відповів: «З усією повагою, ви спитали мене про найвигіднішу пропозицію. Пляшку Domaine de la Romanée-Conti знайти майже нереально, на будь-якому аукціоні ви заплатите за неї щонайменше 15 тисяч доларів. Це вже 5 тисяч доларів чистої економії на рівному місці! І поки ви не відкоркували цю пляшку – вона в нас навіть підлягає поверненню. Так, це однозначно найвигідніша наша пропозиція».

А якщо серйозно… **Розумною ціною за пляшку вина в ресторані я вважаю щось у діапазоні між 65 та 90 доларами.** І основний мій мотив не в тому, що ціна самого вина буде близько 50 доларів, це вже вторинне. Радше навіть навпаки: вибрати добре вино за 300 доларів може кожен. А щоб підібрати вдалу пляшку, що після потрійної націнки на відпускну ціну виробника коштуватиме 50 доларів, тут треба постаратися. Кожен хороший сомельє зрадіє такому виклику.

Утім, вино, <u>дешевше за 35 доларів за пляшку</u>, я вам брати теж не раджу ніде в Сполучених Штатах. Якщо вам ідеться про якість, то в такому разі ліпше вже замовляти вино побокально.

СПИТАЙТЕ В АЛЬДО

Що робити, коли сомельє нема?

У ресторанах, де офіціант відповідає і за винну карту, я дійшов одного висновку: запитайте, на яке вино з меню найліпші відгуки гостей. Так, вам не світить якесь надзвичайне відкриття, але є доволі високі шанси, що вином ви будете задоволені.

■ **У нас це правило звучало б так: «Нічого дешевшого за 200 грн».**
Хоча в супермаркеті й у спеціалізованому магазині буде трохи різна нижня межа. – Прим. консультантки-сомельє.

Замовляючи вино побокально…

Виявляйте зацікавлення.

Розпитуйте сомельє! У ваших інтересах встановити контакт. Якщо ви зацікавлені й приязні, вам прагнутимуть догодити. Я не раз частував новачків ковтком дорожезних вин просто тому, що вони виявляли щире бажання пізнати вино.

Запитайте, чи не відкорковано цього вечора якусь особливу пляшку.

Хтось із гостей може відмовитися від пляшки, якщо вино не сподобалося. Часом це розкішні вина і чудова нагода скуштувати вишуканіше вино за нижчою ціною.

Поцікавтеся, що п'є сам сомельє.

Це дозволить їй або йому похвалитися найтрендовішими винами карти. Вам точно щось впаде в око!

Не смакує? – Відмовтеся, надавши конструктивну критику.

Скажіть «Це не те, чого мені хотілося. Воно надто сухе / ароматне / мутнувате». Нема чіткого обмеження щодо того, коли ви можете відмовитися від пропонованого вина, та куштувати понад три-чотири рази буде нечемно.

I так, вино 20 доларів за бокал суттєво ліпше, ніж вино 12 доларів за бокал! Вибачайте.

> ### Як я укладаю побокальне меню
>
> Моє завдання – укласти якнайширший асортимент вин, що пасують до страв нашого ресторану, не даючи при цьому надмірного вибору. На додачу до сезонних змін меню, я намагаюся враховувати реакцію гостей: чого вони прагнуть – комфорту чи відкриттів? Скільки готові платити? Коли йдеться про вибір – я намагаюся запропонувати ароматний вінтаж, напівсухий різновид і вина різних текстур: одне зовсім незвичайне, друге – танінне, третє – соковите й додаю ще щось дуже тілисте. Я намагаюся витримати цю розмаїтість і з білими, і з червоними винами, в такий спосіб мені вдається задовольнити смакові очікування більшості гостей.

Коли ліпше придбати пляшку?

▶ Якщо вас четверо чи більше – завжди замовляйте пляшку, яку можете собі дозволити побокально, оскільки вартість келиха рахують, ділячи вартість пляшки на чотири, закладаючи можливе пролиття. Ви ж, залежно від способу розливу, зможете розлити пляшку і на п'ять келихів.

Я віддаю перевагу замовляти попляшково, так я не мушу перейматися тим, як довго вино стояло відкорковане, втрачаючи свіжість. До того ж так значно простіше відстежувати, скільки я вже випив!

Благословенні міні-пляшки.

Міні-пляшка – приємний спосіб скуштувати вино, стандартна пляшка якого може бути задорогою, або коли ви хочете випити лише трошки більше келиха. (Зазвичай міні-пляшки в меню будуть відразу перед побокальною пропозицією.) Скажімо, це чудовий варіант для романтичного вечора, коли ви хочете випити і білого, і червоного, але ваш бюджет не вміщає дві повнорозмірні пляшки. Міні-пляшки зазвичай коштують на 30–40 % менше за стандартну. На жаль, не на всі 50 %, адже закорковування та виготовлення обходяться виробнику практично так само. Однією з переваг є те, що ви будете достатньо тверезі і зможете насолодитися ще й міні-пляшкою десертного вина чи шампанського до десерту!

Вина з підмоченою репутацією

Світ вина — як і світ високої кухні чи моди — улягає трендам. Нижче я подаю перелік вин, які певні сноби зараз, може, й висміюють, але ці вина, як і все інше, рано чи пізно знову повернуться в моду. Авжеж, я користаюся з цього спаду популярності та вишуковую чудові пляшки серед цих вінтажів.

	ВИНО	РЕПУТАЦІЯ	ЧИ ЗАСЛУЖЕНА?
1	Зинфандель	Тілисте, нав'язливе, важке	Ці «звинувачення» довго лунали у світі вина, та люди вже почали від них втомлюватись. Списувати його з рахунків не варто
2	Американські Шардоне	Дуже вершкові, масляністі, передубені	Зовсім ні! Шукайте вина з узбережжя Сономи та Ореґону, без дубового присмаку
3	Мерло	Фільм «На узбіччі» (Sideways) 2004 року сильно зашкодив його репутації	Серед Мерло ви знайдете одні з найкращих червоних вин, як-от Pétrus та Le Pin
4	Ламбруско	Дешеві, гарантований тяжкий бодун	Даруйте, яке інше вино ліпше доповнює м'ясні закуски?
5	Божоле	Надто молоде. Надто дешеве	Культові виробники працюють над зміною цієї репутації
6	Піно Ґріджіо	Низькопробне пійло	Серед Піно Ґріджіо бувають дуже цікаві вина
7	Марсала	Вино для готування	У більшості випадків – це заслужено, але провідні виноробні починають це змінювати

Запитуйте мене про що завгодно!

(на дегустаційну тему)

Ви супердегустатор? Як вам вдається пам'ятати смаки стількох різних вин?

Я уникаю терміна «супердегустатор», він стосується людей, які мають підвищену кількість смакових рецепторів. Я волію, щоб мої кваліфікації оцінювали інші. Стосовно ж запам'ятовування – пам'яті на винні смаки я завдячую багаторічній підготовці та постійному розширенню цієї «картотеки смаків», які я можу легко пригадати.

Що це за срібна підвіска, яку носять усі сомельє?

На ланцюжку ми носимо тастевін (з наголосом на останній склад) – традиційний дегустаційний інструмент, який може носити будь-хто. Коли ми відкорковуємо пляшку, обслуговуючи гостей за столом, то відразу дегустуємо вино за допомогою тастевіна. У сиву давнину винороби користалися ним у темних погребах – визначали, каламутне вино чи прозоре, за допомогою свічки та світловідбивних властивостей поверхні тастевіна. Також з нього було дуже просто перевірити вино на небажані запахи.

Які ваші враження від підготовки сомельє, змагань дегустаторів та здобуття титулу найкращий сомельє світу?

Це просто виснажливо! Я десять років присвячував кожну вільну хвилину вивченню мистецтва сомельє. У мене було багато вчителів, з якими ми тренували мої точність і майстерність вправами на швидкість у таких предметах, як декантування. Змагання теж було виснажливим. Мене ганяли в хвіст і гриву два дні з дев'ятої ранку до сьомої вечора з нечастими перервами, тому витримувати напругу було ще складніше. Мої результати оцінювали в таких категоріях: теоретичні знання, дегустування, навички обслуговування за столом, самопрезентація, вмілість рекомендацій та пропоновані поєднання вина і страв. Так, і ви позбавлені змоги змагатися рідною мовою, саме тому я й переїхав до США – щоб поліпшити свою англійську.

Яке вино вам запам'яталося найбільше

Ох, незабутніх вин я куштував чимало, бо не відмовляю собі в насолодах, але коли у двадцять три роки я скуштував La Tâche вінтажу 1980 року – воно перевернуло мій світ. Відтоді я захопився бургундськими. Я куштував багато витриманих бордо, та коли покуштував те вино, у мене вихопилося «Вау, це щось надзвичайне!».

Дивлячись на вас, мені кортить залишити свою посаду й самому стати сомельє. Хороша ідея, як гадаєте?

Травичка завше зеленіша з сусідського боку! Так, робота сомельє має свій лоск, але наші робочі дні довгі й працюємо ми, коли інші відпочивають. Уже з цієї причини ми випадаємо з більшості соціальних оказій. Заробляти на вині теж зовсім непросто. Тож якщо зараз ви

працюєте на Волл-стріт, то, певно, не кваптеся змінювати кар'єру.

Що ви радите молодим сомельє, яких навчаєте?

Вчіться слухати і зчитувати клієнта, це потребує років практики. Також наживка має смакувати рибі, а не рибалці: рекомендуючи вино – вибирайте його для клієнта, не радьте вина виключно на власний смак. (А сомельє зазвичай тяжіють до кислих вин, які дуже рідко подобаються ще комусь.)

Яке найдорожче вино вам випадало куштувати?

Я пив Марґо 1900 року, його можна оцінити в 15–20 тисяч доларів. Колись куштував старе Romanée-Contis від La Tâches. Треба сказати, що цінник сам собою для мене значення не має: вам же не кортить довше роздивлятися картину лише тому, що її оцінено в певну суму?

Яке ваше улюблене вино?

Я не можу вибрати одне! Це як запитувати про мою улюблену людину чи страву. Скажімо, я люблю тушковані реберця, але мені навряд чи закортить ними поласувати влітку.

Ви сомельє якого рівня?

Жодних рівнів! Я просто сомельє, не належу до Court of Master Sommeliers.

Ви завжди п'єте вино?

Направду, увечері я розслабляюся з пляшкою пива 😊

■ **найкращий сомельє світу**
Альдо було названо найкращим сомельє світу 2008 року, на змаганні Міжнародної асоціації сомельє.

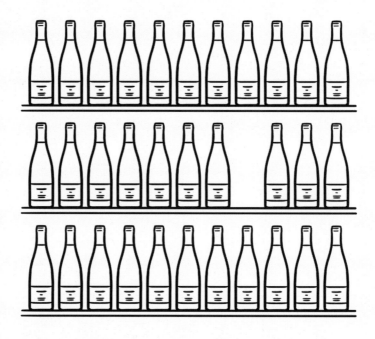

Вибираючи вино у винній крамниці

▶▶▶ Принаймні з погляду грошових ризиків, ставки значно нижчі в ситуації, коли ви обираєте пляшку, щоб розпити вдома: **націнка в роздрібних крамницях становить відсотків 60 до відпускної ціни виробника, а ресторани накручують її у 2,5–3 рази**. Притому, на мою думку, знайти гідну винну крамницю та скерувати її консультанта в бік ваших уподобань таки трохи складніше. Але воно того варте, і далі я поясню чому.

Знайдіть свою нову улюблену винну крамничку.

Ми більше не обмежені пластиковими дверима під вивіскою «Алкоголь» – зараз відкривається дедалі більше цікавих винних крамничок. У Портленді, штат Мен, вони з'являються в сирних магазинах, на півночі штату Нью-Йорк їх відкривають бруклінські сомельє-експати… Я вишукую такі крамнички, розпитуючи сомельє та шеф-кухарів моїх улюблених ресторанів, а також стежачи за улюбленими дегустаторами й винними критиками в соцмережах. (Якщо вони й не тегають улюблені заклади – високі шанси, що серед їхніх уподобаних сторінок є чудові місця.) Часом друзі-сомельє запрошують сходити з ними до їхніх місцевих винних крамничок, щоб допомогти щось вибрати або порадити більше туди не повертатися.

Заприятелюйте з власником крамниці та персоналом.

Украй важливо! Підпишіться на розсилку, щоб дізнаватися про дегустації – і відвідуйте їх! Авжеж, вони в такий спосіб просувають товар, але це чудовий спосіб потоваришувати з персоналом і розповісти про свої смаки. Скажіть, що ви новачок, але дуже зацікавлені довідатись про вина більше.

Не соромтеся! Зробити вас постійним відвідувачем – їхня робота. Ваша лояльність принесе солодкі плоди – спеціальні знижки, обмежені пропозиції, доставку за межами стандартної зони та решту привілеїв постійних покупців. Ваш консультант навіть може познайомити й рекомендувати вас для участі в закритих дегустаційних групах.

Купіть різного вина на пробу.

Попросіть своїх нових друзів із винної крамниці укласти для вас сет вин з широким спектром смакових якостей, щоб ви могли зорієнтуватися у власних уподобаннях. Спробуйте почати з білих. У наборі мають бути Піно Ґріджіо з Фріулі, Совіньйон Блан із Сансеру, два різновиди Шардоне (маслянисте з Шаблі та вершковіше каліфорнійське), Кабінетт Рислінг та Альбаріньйо. Куштуючи, робіть нотатки, а потім поділіться ними: «Це було надто кисле, це – надто терпке, а оце – дуже вже солодке…» – і так далі. Потім спробуйте червоні: попросіть Піно Нуар з узбережжя Сономи, Каберне Совіньйон з Бордо, аргентинський Мальбек, щось із Ріохи та божоле в стилі Fleurie. Якщо виявиться, що ваші смаки збігаються з асортиментом цієї крамнички, довідайтесь, чи вони мають щомісячні дегустаційні сети, зазвичай підписка на них дуже вигідна. Загалом купівля набору тим і прекрасна, що вам мають давати 10-відсоткову знижку. Також можна купувати такі сети на двох чи кількох із друзями, розділивши витрати й радощі пізнання нового.

Уникайте купувати онлайн.

Так, ви знайдете в інтернеті найнижчі ціни десь у чорта на рогах, та враховуючи вартість доставки, ви зекономите на пляшці всього кілька доларів, і це якщо вона доїде неушкодженою. Повернути не відкорковану пляшку до Арканзасу буде непросто, а от місцевий продавець прийме повернення. Також не забувайте, що побудова взаємин з крамницею має свої переваги. Якщо ж вам ідеться лише про зручність і вигоду, а не про нові враження, то спробуйте замовити в надійного роздрібного продавця.

🍷 Ще

🍾 кілька

🍷 вайнхаків

Не купуйте демонстраційну пляшку.

(Я про ті, що стоять.) Беріть пляшку, яка лежить, що гарантує зволоження корка. Це особливо важливо, якщо ви не плануєте пити це вино невдовзі. Якщо ви бачите тільки виставлені пляшки, запитайте, чи є ті, що лежать. Імовірно, такі знайдуться десь у підсобці. Це не стосується пляшок без корка.

Не купуйте вино з вітрини.

(Ідеться про зовнішні вітрини, видимі з вулиці чи такі, що облаштовані всередині й зазнають впливу сонячного світла.) Світло завдає вину непоправної шкоди. Повірте мені.

Не купуйте нічого дешевшого за 12 доларів.

Хіба що ви шукаєте основу для соусу чи маринаду…

Не викладайте кругленьку суму за витримане вино в незнайомому магазині.

Хтозна, як його зберігали всі ці роки.

Не ведіться на правило «краще щось посереднє за 15 доларів, ніж за 20 і однак посереднє».

Самі поміркуйте: навіщо витрачати 15 доларів на щось, що з імовірністю 89 % виявиться поганеньким, якщо можна витратити на чверть більше й мати шанси 1:1 на справді добре вино? Один зі знайомих продавців розповів, що його рідко запитують про Каберне за двадцятку, таке практично не трапляється. Краще попросіть «щось сміливе за 20 доларів».

У віддалених районах чи передмісті можуть бути справжні знахідки за копійки.

Просто через те, що в якійсь крамничці довго не купують певні вина, вони можуть суттєво знизити ціну. Один з моїх сомельє знайшов пляшку вина від Diamond Creek вартістю не менше ніж 400 доларів у крамничці в Квінзі за 75 доларів. Власник був щасливий позбутися клопоту знову витирати з неї пилюку!

У ВИННІЙ КРАМНИЧЦІ

ГОЛОВНЕ —
ВСЕРЕДИНІ!

Два слова про винні етикетки

▶▶▶ **Етикетки бувають оманливі.** Більшість виробників вказують сорт винограду. Європейські можуть обмежитись регіоном врожаю, а про сорт ви маєте здогадуватись, керуючись регуляційними нормами регіону. Певні виробники взагалі обмежуються класною картинкою та вигаданою назвою, замість назви виноградника, і ще позначкою «Vin de France» десь на звороті. Єдине, що ви завжди гарантовано знайдете на етикетці, — це вміст алкоголю. (Я уникаю вин, міцніших за 15%, але це лише преференція.) І ще з Рислінгом, з німецької класифікації Kabinett / Spätlese / Auslese буде зрозуміло, сухе вино, напівсухе чи напівсолодке, навіть якщо цього й не вказано іншою мовою. Далі я дам ще кілька порад для вибору за етикеткою.

△

Що вигадливіша етикетка, то з меншою імовірністю я придбаю таке вино.

Авжеж, пляшка може бути дуже заманливою й прикольною на вигляд, але для мене це буде ознакою того, що виробник настільки маркетингово прокачаний, що якість самого вина може бути не найбільшим його пріоритетом. Не забуваймо, винороби — це фермери! Вони не мають десятків тисяч доларів на шикарні етикетки!

Свого часу позначка vieilles vignes свідчила про якість вина.

І досі свідчить. Але також це є гарантією вищої ціни.

Дехто твердить, що важливіше, де вирощено виноград, ніж де вироблено вино.

Ну, так і не так. Ви можете купити кошмарне Біле бургундське з чудового виноградника, якщо винороб його пересере. Уявіть, що йдеться про шеф-кухаря: можна взяти найліпшу рибину, але ніщо не врятує, якщо кухар її спаскудить.

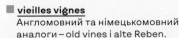
vieilles vignes
Англомовний та німецькомовний аналоги — old vines і alte Reben.

▽

Що більше подробиць на етикетці — то на вищу якість можна розраховувати.

«Натуральні» виноробні господарства підважили це правило, переважно вказуючи лише регіон походження та маркування, як-от «Vin de France». Така бунтівно-мінімалістична етикетка означає, що виробник навмисне занизив клас вина, щоб уникнути перевірки жорстких категорійних вимог. («Vin de France», до слова, є найнижчою категорією).

СПИТАЙТЕ В АЛЬДО

Як ставитись до рейтингів?

Це непросте питання! Скажімо, вина з хорошими оцінками, схвальними відгуками й багатьма зірочками можуть виявитись цікавими, але кожен, хто лишає відгук, має персональні смакові преференції. Вам важливіше знайти винних критиків, чиї смаки співзвучні вашим, та цікавитись відомостями про рекомендованих виробників (детальніше на с. 243). Зазвичай вина, що набирають 100 балів зі 100 можливих, ще потребують витримки. Я не надто зважаю на такі оцінки.

187

Основні позначення на етикетці французькою:

▶▶▶ Domaine

Це добрий знак! Це означає, що винороб володіє і виноградником, з якого зібрано ягоди. Вино з винограду, придбаного інде, не може так маркуватися.

▶▶▶ Château

Це слово може викликати у вашій уяві красиві маєтки, але воно насправді доволі буденне, особливо в регіоні Бордо. Шато може бути й вишуканим замком, а може й звичайним будинком. Це маркування не регулюють у жоден спосіб, тому воно може ввести в оману. Фраза mis en bouteille au château означає, що розлив вина відбувся на місці вироблення.

▶▶▶ Coopérative

Таке маркування позначає групу виноробів, що продають вино, вироблене й вирощене учасниками цієї групи. Така кооперація допомагає централізувати процеси розливу, закорковування, зберігання та продажу. Це не означає, що кооперативи великі й це шкодить якості, або що вони змішують увесь зібраний урожай в одному великому чані й розливають з нього якесь нестравне пійло.

▶▶▶ Vineyard

Ця свідчить, що виноград походить з конкретного зазначеного виноградника, single vineyard (SV) означає виняткову якість певного виноградника, врожай з якого не змішують з іншими.

СПИТАЙТЕ В АЛЬДО

Чому на пляшках шампанського так рідко зазначають вінтаж?

Тому, що базовим вином для шампанського зазвичай є поєднання кількох вінтажів – трохи торішнього, скажімо, можливо – навіть трохи вина п'ятирічної витримки. (Якщо поміркувати про це, виходить, що кожна пляшка шампанського автоматично має щонайменше три роки витримки!) Тому на етикетці найчастіше буде зазначено NV чи non-vintage. Певні знані марки шампанського, як-от Dom Pérignon, можуть витримувати до десяти років, перш ніж випустити шампанське з певного вінтажу в продаж. Якщо матимете нагоду – чудові відкриття вам може принести дегустація шампанського різних років від одного виробника або порівняння трунків того ж року розливу, але від різних виноробів. За умови належного зберігання, витримане шампанське – прекрасне!

Благословенні міні-пляшки, продовження.

У моїй винній колекції чимало міні-пляшок, бо коли я проводжу вечір сам, то не хочу відкорковувати (й переводити) цілу пляшку. Коли ми готуємо вечерю удвох, то дві пляшки нам теж забагато, організм уже не той... А от півтори пляшки – зовсім інша річ! Також я завжди маю напохваті запас міні-пляшок шампанського: ними чудово відзначати маленькі чи більші оказії – вони додають відчуття особливого шику. На щастя, дуже багато достойних виробників пропонують формат 375 мілілітрів.

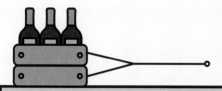

Знайти хорошу пляшку в поганенькому магазині

▶ Мою стрижку перенесли на пізніше, тому я запропонував чогось випити – і пошкодував про це, щойно переступив поріг найближчої алкогольної крамниці. Що взагалі можна ловити в цьому морі посередніх Піно Ґріджіо та розе? Навдивовижу, в охолоджувачі тут навіть тримали Ґрюнер Вельтлінер. До нього я прихопив одноразові пластянки на касі. Усі були щасливі.

Дев'яносто п'ять разів зі ста, Ґрюнер навіть за 15 доларів виявиться цілком пристойним. Насправді нічого дорожчого шукати й не варто – це вино чи не найліпше поєднується з більшістю страв, воно майже всім смакує, хороша пляшка коштує до 25 доларів. Якщо Ґрюнера в магазині нема, ваші наступні варіанти – Шаблі або Сансер.

ІМПОРТЕРІВ ВАРТО ЗНАТИ

▶ Та етикетка, на якій подається переклад інформації про імпортоване вино й зазначено самого імпортера, може виявитись чудовим індикатором якості вмісту пляшки. Неодмінно поцікавтесь імпортерами вина у своїй країні, адже кожен із них обирає виноробів, керуючись власними філософією і цілями.

☐ «Бюро вин» – найбільший імпортер України з філософією цін на вино як у країнах походження. Найкращий портфель з Бургундії, Шампані, Південної Рони, ПАР.

☐ Sabotage – найбільший імпортер виключно «натуральних» вин.

☐ Roots – новий перспективний імпортер, чий асортимент підібрано з винятковим смаком та акцентом на «органіку».

☐ Frank Wines – бутиковий імпортер натуральних вин, зорієнтований на хореку (т. зв. індустрія гостинності) та персональні продажі «з льоху в льох».

☐ Cuvee.com.ua – нішевий імпортер шампанського тільки від малих незалежних домів з теруарним підходом.

☐ «ТС Плюс» – надійний великий імпортер з хорошим асортиментом.

☐ Fozzy Group – великий мережевий дистрибутор з трохи хаотичним, але непоганим винним портфелем і хорошими цінами.

☐ Tre Bicchieri – цікавий імпортер, зосереджений на невеликих, проте знакових виноробнях з усього світу.

☐ Vitis – старий український імпортер з упевненим портфелем, але неаргументовано завищеними цінами; зорієнтований на хореку. – Прим. сомельє Вікторії Ковальчук.

■ імпортери у США
Перелік імпортерів у США, яких радить Альдо, знайдете на сторінці 247.

ВИНА З КОРОБКИ, З ПАКЕТА, З ЖЕРСТЯНКИ...

▶ Це веселіший та невигадливий варіант випивки. Прохолодна жерстянка Сицилійського білого Ramona у вашій руці гарантує, що надворі літо. Таке вино – не для колекціонування, воно прекрасне тут і зараз, чудовий вибір і наприкінці робочого дня, і для вечірки. Я сам, влаштовуючи вечірку, віддаю перевагу цим «винам з коробки», і не лише тому, що так значно менше відходів – залишки вина зберігаються свіжими й не видихаються в холодильнику ще тижнями.

Вино вдома

▶▶▶ Безумовно, є певний шик і піднесеність, коли сомельє прислуговує вам за столом, подаючи вино... Утім, для мене значно більша втіха – пити вино вдома, з друзями, сусідами (а я підсадив Мюррея з нижнього поверху на шампанське), моєю партнеркою Кетрін, чи навіть насолодитися нечастим вечірнім усамітненням із міні-пляшкою. Я розумію, чому перехід на новий рівень винного гурманства вдома може лякати, – усі ці різноманітні келихи, штопори, стопери – складно розібратися, що з цього вибрати. (На мою думку – що простіше, то ліпше. Хіба що ви маєте де зберігати купу трендового приладдя та келихів усіх форм і фасонів. Якщо ні – тримайтеся класики.)

Тепер, розібравшись, які вина приносити додому, ви маєте навчитися зберігати й відкорковувати пляшки, наливати вино та зберігати залишки. Я навіть дам кілька порад про те, як мити ці ваші новомодні бокали. Коли ви опануєте базові навички, то зможете влаштовувати дегустації з друзями, щоб прискорити вивчення вин. Адже, повторюю, пиття є пізнанням. Небагато про що в житті можна стверджувати те саме.

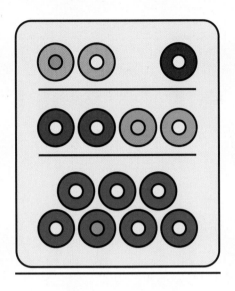

Ази зберігання

▶▶▶ Любити добре вино – це одне, а належно про нього подбати – зовсім інше. **Вино – дуже вразлива, жива субстанція, чутлива до температур, світла, навіть до надто тривалого перебування у пляшці, розміщеній вертикально.** Вино має зберігатися в прохолодному, сухому, темному місці. (В ідеалі, авжеж, – винний льох з контрольованою температурою.) Якщо інвестувати в холодильник для зберігання вина ви поки що не плануєте, я радив би безсоромно експлуатувати свою улюблену винну крамничку, купуючи вино під кожну оказію й нічого не зберігаючи. Але людська природа змушує нас запасатися, колекціонувати... нагромаджувати... І ми не здатні стриматися! (Я знаю, про що йдеться. У самого понад п'ятсот пляшок у підвалі, а я й далі приношу додому нові ящики вина й моя партнерка вже не вважає це милим.) Якщо ви в цьому хоч трошки схожі на мене, то насамперед я розповім, яких помилок слід уникати.

☒ Не лишайте пляшку у вертикальному положенні понад тиждень.

Корок висохне, вино окислиться і втратить смак. (І не купуйте пляшку, що стояла, просіть ту, що лежить.) Вино має зберігатися горизонтально з етикеткою згори. Це не стосується пляшок із закрутками, скляним корком чи корончатою кришечкою.

☒ Не зберігайте вино в духовці.

У кухні надто жарко! Вину некомфортно, починаючи від 25,5°С, а за температури 32,2°С воно починає «варитися». Щойно переїхавши до Нью-Йорка, я зберігав вина в духовці, бо ніколи не користався нею. Якого ж сорому я натерпівся, коли журналіст з Wine Spectator попросив показати, де я зберігаю вино… (Якщо ви не користуєтеся духовкою, є імовірність, що плиту ви таки часом запалюєте, а значить, певне тепло вона генерує.) І не складайте пляшки на холодильнику – він теж нагрівається, а постійна вібрація також шкодить вину.

☒ Не тримайте білі вина та шампанське в холодильнику понад кілька днів.

Через знижену вологість корок висихає швидше, а вино вбере крізь нього всі пахощі продуктів. Там занизька температура для зберігання білих та шампанських, що є доволі делікатними, не кажучи вже про вразливість кожного вина до освітлення! Різниця між вином з пляшки, що зберігалася правильно, і з тої, що простояла місяць у холодильнику, дуже виразна.

☒ Не зберігайте вино на верхніх полицях.

Жар підіймається. Якщо вже класти вино в шафку, то кладіть якнайнижче.

☒ Не лишайте вино на сонці.

Від сонячного світла вино «звариться». І не мрійте, що випадково вийде смачний глінтвейн.

☒ Всюди у вашому помешканні, найімовірніше, надто тепло для вина.

Ідеальною температурою для зберігання вин є 12,8°С, а вологість – на рівні 75%. Нагадує ваш підвал? – Годиться, якщо там нема плісняви. Якщо у підвалі пахне не надто благородно, вино вбере всі запахи крізь корок.

☑ Усі дороги ведуть у… винний холодильник.

Коли ваші стосунки з вином вийдуть на серйозніший рівень, щоб ви переймалися добробутом пляшок, перш ніж їх випити – байдуже, за шість місяців чи за шістнадцять років, – починайте придивлятися до винних холодильників. Стерпний на 12 пляшок, ви можете знайти і до 100 доларів та притулити десь у шафу чи підвал. Можете розщедритись на більший, на цілі 36 пляшок, і гордо виставити його посеред кухні. Нагадаю, в холодильнику треба буде встановити температуру 12,8°С та вологість на рівні 75%.

Укладання вино-збірні.

▶ Усі жахалки про зберігання вина з попередніх сторінок вас не відлякали і ви маєте підходяще прохолодне місце, де можна розмістити від шести до дванадцяти пляшок? Чудово, тоді ви можете закладати підмурівки майбутньої винної колекції. Спершу непогано було б зібрати кілька різних стилів, від легких до повнотіліших. Отут вам може стати в пригоді персонал улюбленої винної крамнички. Попросіть їх зібрати дегустаційний сет, що я описував на сторінці 183. Ось позиції, які я раджу включити:

З білих

Якесь хрустке біле, з регіонів Шаблі чи Сансер, і щось насиченіше, як-от каліфорнійські чи ореґонські Шардоне нового стилю. Також додайте пляшку шампанського чи ігристого вина і, можливо, щось сухе, як Грюнер Вельтлінер, але зважайте на свої преференції у стравах. (Поєднання вин зі стравами я детально опишу на с. 250–257.) Якщо вам дійсно до вподоби розе, то візьміть, звісно, і його, пляшку чи дві.

З червоних

Знову ж, почнемо з легших вин і перейдемо до повнотіліших: візьміть пляшку божоле, Morgon чи Fleurie, приміром, Мальбек, побавте себе правобережним бордо за 40 доларів, додайте к'янті чи Неббіоло з регіону Альба. Нескладно буде знайти й хорошу пляшку червоного з Ріохи не за всі гроші світу. Раджу також Піно Нуар із Сономи, його люблять усі.

Агой,
оці улюбленці
найширшої публіки
коштують
до 25 доларів
за пляшку

НАЙКРАЩІ З НАЙДЕШЕВШИХ ВИН,
ЗАПАСІТЬСЯ ДЛЯ ВЕЧІРОК

Якщо а) вас часто запрошують у гості та на вечірки, б) ви дуже організовані та в) у вас є трошки місця, придатного для зберігання вина, то вам варто завжди мати кілька пляшок у запасі. Зекономте собі час і нерви на пошуки пристойної винної крамнички в останню хвилину.

Білі

Ґрюнер Вельтлінер
○ Lois, Weingut Fred Loimer
○ Am Berg, Bernhard Ott
○ Gobelsburger, Schloss Gobelsburg

Шаблі
○ Petit Chablis, William Fèvre
○ Chablis Vieilles Vignes, Domaine Louis Michel & Fils
○ Chablis, Drouhin-Vaudon

Луара
○ Menetou-Salon Morogues, Domaine Pellé
○ Orthogneiss, Domaine de l'Ecu
○ Pouilly-Fumé Domaine, Jonathan Didier Pabiot (дорожче, але чудове)

Совіньйон Блан з півночі Італії
○ Marco Felluga, Collio
○ Ronco del Cero, Venica & Venica
○ Winkl Sauvignon Blanc, Cantina Terlano

Червоні

■ Raisins Gaulois, Marcel Lapierre
■ Éclat de Granite, Domaine Sérol
■ Viña Almate, Alfredo Maestro
■ Nebbiolo Perbacco, Vietti
■ Béla-Joska Blaufränkisch, Wachter-Wiesler

Ігристі

▷ De Nit Extra Brut Rosé, Raventós i Blanc
▷ Brut Nature Méthode Traditionnelle, Domaine François Chidaine
▷ Blanc de Blancs, Gruet
▷ Timido Brut Rosé, Scarpetta

Температура має значення (велике!)

▶▶▶ Це може видаватися незначним, та **кілька градусів відіграють вирішальну роль**. Випийте червоного вина двох різних температур, і самі зрозумієте – це цілком різні вина. Як переохолодження приглушує смакову палітру білого вина (що не так і погано, якщо ви п'єте щось неякісне чи перетримане) – так і червоне вино, на кілька градусів тепліше, ніж треба, вибухає алкоголем і танінами. Ці кілька градусів позбавлять делікатних ароматів і нюансів навіть найліпші бордо. І просто додати кубик льоду, щоб повернути вино в норму, не вийде. (Тоді можна сміливо долити содової і вкинути лимончик. Жартую. Але поважаю ваші особисті смаки, навіть якщо вони сягають так далеко.) А ось як має бути в ідеалі:

ГАЙДЛАЙНИ ОХОЛОДЖЕННЯ

Білі та шампанські вина	Червоні (легкі та міцніші)
У ХОЛОДИЛЬНИКУ 5 годин	У ХОЛОДИЛЬНИКУ від 10 хвилин до 1 години
У МОРОЗИЛЦІ 45 хвилин	У МОРОЗИЛЦІ до 10 хвилин! (І то лише якщо надворі справді гаряче та висока вологість.)

Ще про охолодження

Червоні

Побутує думка, що червоне вино має бути кімнатної температури, але що таке кімнатна температура? Ідеться про вентильовану кімнату влітку чи обігріту взимку? (Змовчу про те, яку роль відіграє вологість.) **Я віддаю перевагу ледь охолодженим червоним**: на мою думку, це стишує алкоголь і дає змогу розкритися багатошаровості ароматів. Тому якщо вино не зберігалося за температури 12,8 °C, то я завжди витримую пляшку в холодильнику 10–60 хвилин перед подачею. Якщо вам дуже хочеться заморочитись, можете, як я, подавати легші червоні, як Ґаме та Піно, охолодивши до 12,8 °C, а тілистіші, Каберне чи Мерло, до 15,5 °C. Можна виставити потрібну температуру в холодильнику або контролювати її термометром.

Білі, розе та шампанські

Якщо пляшка в холодильнику з учора — чудово, а пляшка кімнатної температури потребуватиме щонайменше 4–5 годин у холодильнику.

Коли часу обмаль, я не заморочуюся з відерцями льоду, а **кладу пляшку в морозилку**. Потримайте там вино від 30 хвилин до години, не більше. Для шампанського — хвилин 45, бо скло товще. Якщо перетримаєте — вино можна просто вилити.

○ ПОРАДА З ОХОЛОДЖЕННЯ 1

Якщо я захопився бесідою і забув пляшку в холодильнику на довше, ніж варто, то секунд на 20 ставлю її під струмінь гарячої води. Або й просто наливаю у келих, сколихую в ньому вино і чекаю, коли воно трохи нагріється.

○ ПОРАДА З ОХОЛОДЖЕННЯ 2

Це може здаватися зручним, але не варто зберігати вино в холодильнику понад кілька днів. Детальніші пояснення на сторінці 193.

Забудьте про відерця

Я рідко користуюся відерцем з льодом удома — конденсат утворює під ним калюжу на столі, етикетка псується — я від такого не в захваті. Натомість я вставляю назад корок чи стопер, ставлю вино в холодильник і дістаю знову, коли келихи за столом спорожніють.

Прихопи винця

У мене є неопренова торба, в якій я вожу вино, їдучи в гості. Я завжди тримаю в морозилці кілька охолоджувальних рукавів (з тим же драглистим наповнювачем, що й у сумок-холодильників). Я запихаю кожну пляшку в такий рукав (так, навіть червоне вино) і спокійно ставлю у свою торбу. Якщо добиратися довго, то вже охолоджене вино я кладу хвилин на 20 у морозилку перед виходом. У такий спосіб до мого прибуття вино вже в ідеальній кондиції.

Поки ви наливаєте вино в келих — воно встигає нагрітися на 5,5 °C, надто якщо йдеться про великий келих.

ФАКТ

Як відкоркувати пляшку

▶▶▶ Правіше зображено все, що вам потрібно, щоб відкоркувати пляшку. Опануйте **найпростіший штопор**, той, що знайдеться майже в кожній кухні від дому вашого друга до помешкання, знятого на Airbnb десь у Парижі. Ви можете вибрати щось найпростіше на касі найближчої винної крамниці, або коркотяг від французького крафтового бренду Forge de Laguiole, скажімо... та тут я не об'єктивний, бо саме такий коркотяг маю сам. Просто переконайтеся, що на ньому є ножичок (aka надрізач плівкового покриття) та довгий черв'ячок (саме так називають цю частину англомовні сомельє – «a worm»).

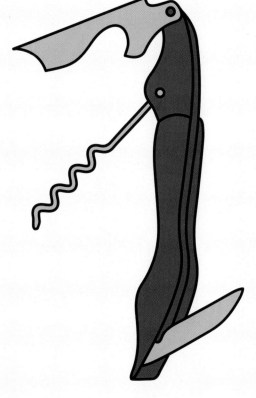

1) **За допомогою ножичка розріжте фольгу довкола горлечка, просто під опуклістю.** Повністю зніміть шар плівки. Завжди робіть це, тому що після наливання на горлечку неодмінно залишиться крапля, яка впаде в наступний келих. Ви ж не хочете, щоб вона осіла на плівці, що була домом бозна-яким мікроорганізмам і невідомо як довго? Отож!

2) **Встроміть вістря штопора в самий центр корка під невеликим нахилом.** Якість корків буває різна, і з часом вона гіршає. Вкручуючи вістря під невеликим кутом, ви уникаєте розламування корка на половинки чи його розкришення, якщо він розсохся.

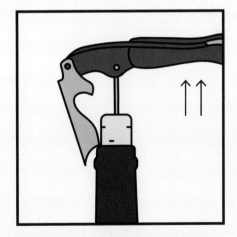

3) **Обертайте штопор та пляшку в протилежних напрямках,** поки спіральна частина зовсім не сховається в корку. Далі вкручувати сенсу нема.

4) **Перехиліть ручку, як важіль, щоб гачкувата частина штопора вперлася у краєчок горлечка пляшки.** Тепер, притримуючи гачкувату частину, потягніть ручку вгору, витягуючи корок з горлечка. (Деякі коркотяги мають два «гачки», тоді треба сперти на горлечко нижчий гачок, коли корок буде витягнуто наполовину.) **Скрутіть корок зі штопора та відкладіть його.** Приготуйтеся смакувати.

Рятуйте!

(Так, це з усіма ставалося)

У-у-упссс... Корок розламався!

І тепер коркотяг не сягає достатньо глибоко, щоб викрутити нижню половину. Дивина, але трапляється. Перевірте, чи не маєте десь іншого коркотяга з довшим черв'ячком. (Як професійно одержимий, я завжди працюю з двома штопорами в кишенях саме з цієї причини.) Якщо довгого штопора у вас нема – скористайтеся ручкою дерев'яної ложки чи м'ялки, щоб пропхнути корок усередину, і переходьте до наступного кроку.

Еммммм... він утопився у пляшці :(

Вітаю, маєте потопельника. Якщо корок упав цілий чи двома великими шматками, то не турбуйтеся. Якщо ж він розкришився на тирсу, поставте дрібне ситечко чи покладіть марлю на декантер і перелийте вино туди. Інша пляшка теж підійде. Таке зазвичай трапляється з витриманішими винами. Нічого вину не зробиться.

Застряг!

Тугий корок є ознакою якості, але у вас про нього можуть бути зовсім інші думки. Єдине, що вам лишається – улаштувати змагання найміцніших рук. Або несіть пляшку до свого сусіда-качка та попросіть про допомогу. Вашому еґо це завдасть удару, та перший же келих залікує всі рани. Якщо застряг корок у пляшці шампанського, то можете спробувати зняти мюзле, вкрутити штопор у корок та обережно витягти його, як зі звичайної пляшки (під дуже високим тиском).

● **Вайнхак!** Якщо корок запечатано воском, віск опиниться в найнеочікуваніших місцях по всій кухні, а може й на язику. Відкорковуючи таку пляшку, передовсім нахиліть її під кутом 90° над сміттєвим кошиком та облущіть ножичком коркотяга віск із вершечка. (Якщо ви фанатичний акуратист – обмотайте горлечко рушником та обережно обстукайте його тупим кінцем коркотяга, віск лишиться на рушнику.) Якщо віск м'який, то вкручуйте штопор просто крізь нього, і тягніть разом з корком. Витягнувши, підріжте краї воску, очистивши горлечко.

Як безболісно відкоркувати вино з бульбашками

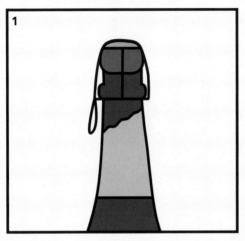

Так, цілком можливо відкоркувати шампанське чи ігристе, не влаштувавши фонтан і не підбивши нікому око.

Послуговуючись ножичком коркотяга чи іншим невеликим ножем, **проріжте фольгу по колу просто під мюзле** – тою дротяною штукою, що тримає корок, – та зніміть фольгову шапочку.

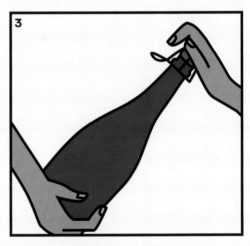

Більшість людей прокручують корок у пляшці. Я ж сколихую пляшку, тримаючи її за денце. **Продовжуючи притискати корок однією рукою, легенько сколихніть пляшкою раз чи два по колу другою рукою.** Тиск CO_2 усе зробить за вас! Коли корок почне вискакувати (а це буде доволі м'яко), не відпускайте його, щоб не вийшло гейзера. (Якщо ви однак улаштували фонтан – швидко торкніться горлечка чистим кухонним рушником – піна спаде.) Рушником також можна накрити мюзле перед відкриттям пляшки, щоб захистити долоню й уникнути ковзання.

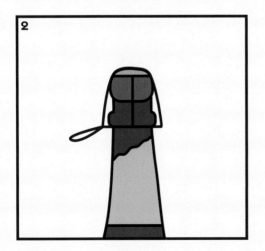

Притримуючи корок долонею, **розкрутіть хвостик мюзле, трохи його послабивши, але не знімайте цілком**, це дасть вам додаткове зчеплення та міцніший хват. Продовжуйте притримувати корок!

ТАКИ КОРТИТЬ СТЯТИ ГОРЛЕЧКО ШАБЕЛЮКОЮ?

Цей украй небезпечний трюк не втрачає популярності. Скажу вам більше – ці витребеньки в наполеонівському стилі зараз на такому піку, що навіть такі фешенебельні виробники ножів, як Forge de Laguiole, виготовляють елегантні шаблі спеціально для ефектного відкривання шампанського. Після того як ви знімаєте фольгу та мюзле, вам лишається замахнутися й рубонути. Ось як це зробити, щоб нікого не зарізати (дай Боже). Але серйозно, будьте дуже обережні!

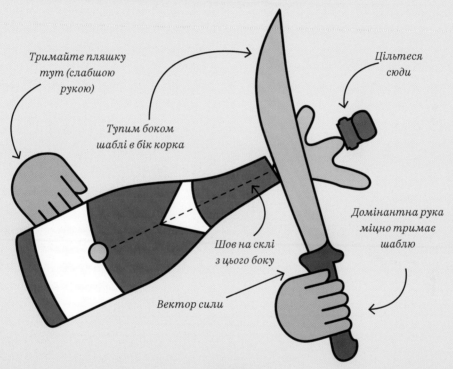

Тримайте пляшку тут (слабшою рукою)

Тупим боком шаблі в бік корка

Цільтеся сюди

Домінантна рука міцно тримає шаблю

Шов на склі з цього боку

Вектор сили

КРОК 1
Переконайтеся, що ви не цілитесь пляшкою (і шаблею) у когось і що вони не вказують на жодні вікна, дзеркала, лампи чи інші скляні або крихкі об'єкти.

КРОК 2
Нігтем намацайте на боці пляшки два шви, що підіймаються до верху горлечка. Знайшли? Поверніть пляшку так, щоб відцентрувати шов навпроти себе. Тепер знайдіть місце, де шов переходить у ширший вигин горлечка, – це і є місце, куди слід завдати удару.

КРОК 3
Тупим боком шаблі (або довгого ножа), від себе, вістрям угору, зробіть кілька легких рухів, ковзаючи вгору-вниз швом пляшки до місця удару. Попрактикуйтеся. Зважайте, що річ не так у силі удару, як у точності влучання. Це можна зробити навіть ложкою, якщо вдарити прицільно. (Головне – не робіть цього гострою стороною леза!) Коли відчуєте, що готові, швидко і сильно (але не надміру) вдарте тупим боком леза куди слід. Відразу готуйтеся розливати (і витирати калюжі). Головне – будьте обережні з надзвичайно гострим зрізом горлечка пляшки.

 УВАГА! Тиск у пляшці шампанського вдвічі перевищує тиск у камері автомобільного колеса. Наслідки помилки тут можуть бути жахливими.

Келихи теж мають значення!

▶▶▶ Авжеж, чудово пити розе на пляжі зі склянки.

Але ви робите собі погану послугу. Точно так само, як чудове бордо смакуватиме посередньо зі склянки, так, скажімо, посереднє Мерло може розквітнути в щось майже прекрасне у правильному келиху.

А все тому, що вміло спроєктований келих створено саме так, щоб зосередити всі аромати, властиві саме тому винному стилю, для якого його вироблено, та скерувати їх у ваші носи (та на язики), щоб якнайповніше розкрити напій. А ексклюзивні бокали ручної роботи виробляють з такими гладенькими краєчками, що вино скрапує просто на кінчик язика, де ми відчуваємо солодкість. (Навіть найменша нерівність країв келиха може спричинити формування повітряної мікрокишеньки, через яку вино потраплятиме на язик трохи далі, до рецепторів, що вловлюють гіркоту.) Для мене келих є лупою, крізь яку я роздивляюся смаки.

ФОРМИ КЕЛИХІВ

Для бордо

Для білих вин

Для бургундських

Флюте (для шампанського)

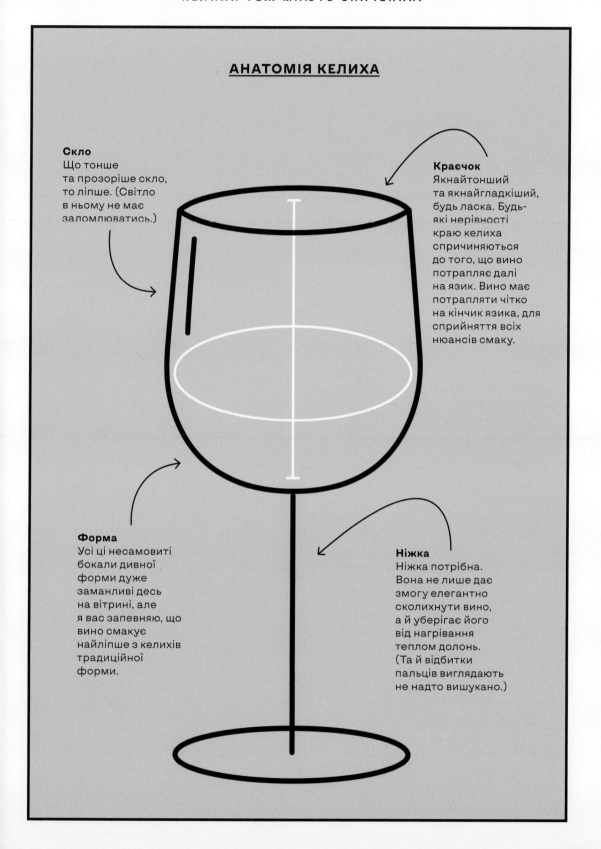

АНАТОМІЯ КЕЛИХА

Скло
Що тонше
та прозоріше скло,
то ліпше. (Світло
в ньому не має
заломлюватись.)

Краєчок
Якнайтонший
та якнайгладкіший,
будь ласка. Будь-
які нерівності
краю келиха
спричиняються
до того, що вино
потрапляє далі
на язик. Вино має
потрапляти чітко
на кінчик язика, для
сприйняття всіх
нюансів смаку.

Форма
Усі ці несамовиті
бокали дивної
форми дуже
заманливі десь
на вітрині, але
я вас запевняю, що
вино смакує
найліпше з келихів
традиційної
форми.

Ніжка
Ніжка потрібна.
Вона не лише дає
змогу елегантно
сколихнути вино,
а й уберігає його
від нагрівання
теплом долонь.
(Та й відбитки
пальців виглядають
не надто вишукано.)

Як вибрати келихи

А точно потрібні аж шість видів келихів?

Мої земляки, сімейство винолюбів Ріделів, перейнялися цим питанням ще в 1980-ті, та випустили лінійку келихів, відкаліброваних спеціально, щоб підсилити (та приглушити) певні смаки різних вин, – келихи з великою чашею, щоб розкрити затиснуті, мінеральні Шардоне, з вужчим краєчком, – щоб зосередити аромати червоних фруктів бордо і так далі. Починаючи працювати з винами, я мешкав біля фабрики Рідель і ходив на їхні дегустації, де спостерігав реакцію професіоналів і любителів на нові форми келихів. Скажу вам, як на двадцятирічного, я тоді мав чималу бокальну колекцію.

Якщо у вас достатньо простору на кухні, то не завадить окрема шафа для келихів. Я ж, дорослішаючи, схиляюся до мінімалізму та й розібрався, які вина люблю пити вдома. Тому тепер маю вдома «лише» три види келихів від Zalto, чиїм амбасадором я гордий називатися.

▶ Я маю **Келихи для білого вина**, в яких подаю шампанські та дуже легкі розе.

▶ **Універсальні келихи**, для білого та червоного вина

▶ **Келихи для бордо**, для повнотіліших вин, бургундських і бароло, вони підходять також для Піно Нуар та Ґаме.

▶ Ах, так, є в мене ще кілька **Флюте**, бо моя партнерка, Катрін, наполягає, що вони мають бути...

Розібравшись, які вина ви п'єте найчастіше, купуйте по одному-два келихи відповідних різновидів та поступово вибудовуйте набори найвдаліших до шести-восьми (бо скло має прикру властивість битися). Якщо ви зовсім початківець, спробуйте універсальний келих від Zalto; келих для Рислінгу чи к'янті від Рідель або келих для червоного від Spiegelau. Це універсальні бокали від найкращих виробників. Додавайте інші форми, залежно від того, до яких видів вина ви схилятиметесь. І ніколи не завадить мати набір з чотирьох-шести келихів з ІКЕА для вечірок.

> ### ТУТ Я СПРОБУЮ ПОЯСНИТИ ВАМ СЕНС КЕЛИХА ЗА 60 ДОЛАРІВ
>
> Якщо ви цікавитесь вином, то і якість келиха вас має обходити. Це як колонка для музики: дешеві навушники-затички звучать інакше, ніж гарнітура Bose, а вона – геть відмінно від навороченої акустичної системи з величезним сабвуфером. Я завжди дивуюся, що люди готові викласти 60 доларів за пляшку вина, якої вистачить на кілька годин, але шкодують ті ж гроші на келих Zalto Universal, з якого могли б насолодитися сотнями пляшок.

СПРОБУЙТЕ САМІ!

Скуштувавши те саме вино з трьох різних келихів (різної форми, товщини, з різними краєчками), ви будете вражені. Якось я влаштував таку дегустацію Дженн Сіт, редакторці цієї книжки, вона була просто в шоці. Спробуйте це вдома, самі чи з другом.

① Виберіть стиль вина, яке питимете, – Шардоне, скажімо, або тілисте червоне – та придбайте пляшку.

② Купіть один «хороший» келих, призначений для цього стилю. З верхньої цінової категорії я б радив Zalto, Spiegelau, або Riedel. Збережіть наліпку, на випадок, якщо захочете повернути келих.

③ Інші два келихи візьміть наосліп зі своєї сушарки для посуду. Ті, що ними ви користуєтесь зазвичай. І ще візьміть склянку. Якщо вам захочеться спробувати два різні стилі нових келихів – хай буде два нові, один домашній келих і одна звична склянка. Не чіпайте наліпок.

④ Покуштуйте з кожного келиха. Чи відрізняється аромат? А смак? Якої точки вашого язика торкається вино? І що найважливіше – з чого вино смакує найліпше саме для вас?

⑤ Можете спробувати те саме й у ресторані з хорошим посудом. Попросіть сомельє влаштувати вам «дегустацію келихів» із пляшкою на ваш вибір.

ВАЙНХАК

Коли я везу свою винну команду в Бруклін на пікнік, або влаштовую вечірку на даху на двадцять друзів, то замовляю пластянки Govino, з розрахунку дві на особу.

СПИТАЙТЕ В АЛЬДО

Чому люди п'ють шампанське з келихів для вина?

У 70-ті були модні шампанські блюдечка, та коли всі зрозуміли, що через цю надмірну площу бульбашки вмить вивітрюються, усі перейшли на флюте, які тримали першість десь до 2010 року. Але тепер, з розвитком шампанського від виноробів, що вирощують виноград власноруч, авторитети у світі вина почали насолоджуватися своїми шиплячими напоями з келихів для білого вина.

Це не просто тренд і не бунт проти традицій, щоб допекти старшому поколінню. Просто дійсність узяла своє. Клімат теплішає, виноград повсюди стає солодшим. Винороби, що виробляють шампанське з власного винограду, працюючи над концентрацією смаків, виявили, що вузький носик флюте закорковує аромати. Натомість ширша площа келихів для білого вина дає їм змогу розкритися.

Та єдиний спосіб довідатися, що підійде саме вам, – це спробувати. Скуштуйте шампанське з обох видів келиха. Складіть власну опінію, тоді ви зможете судити про якості обох варіантів.

ФАКТ

Найліпший спосіб дізнатися, який келих вам підходить, це зрозуміти, чи вам хочеться з нього пити.

Поради щодо миття

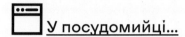

У посудомийці...

Я завантажую келихи на верхню поличку, ближче до середини, ніжками до стінок. (Закладаючи їх уперше, перевірте, чи келихи безпечно вміщаються в закриту машину, обережно зачиняючи дверцята.) Келихи на довшій ніжці можна покласти на нижню поличку, але не затуляйте їх зусібіч великими тарілками. Якщо ваша посудомийка має спеціальну підставку для ніжок – користайтеся нею. Я раджу режим Jet-Dry, інакше келихи лишаються жирними. Шампанське, через невидиму плівку жиру на склі, поводиться, як тихе вино, хоча на смак і шипуче, але який сенс шампанського без бульбашок?! Після миття я відчиняю посудомийку, лише коли мені потрібен якийсь посуд, і роблю це дуже обережно, щоб уникнути биття, якщо щось посунулося при митті. Залишкові краплі протираю рушником.

У мийці...

Правило № 1: Якщо ви п'яні чи втомлені – лишіть келихи до ранку! Просто вилийте залишки вина та залийте водою келихи після червоного.

Найчастішою причиною биття келихів є заміцний хват за ніжку під час надто енергійного намилювання, а відтак – відкручування ніжки від чаші.

Я люблю мити келихи в порожній чистій мийці, з мискою теплої, мильної води, замість крапати мийний засіб окремо на кожен келих. Переконайтеся, що краєчок та зовнішній бік келиха чисто вимиті, а тоді дуже обережно промийте чашу зсередини. Ретельно сполосніть теплою чистою водою.

СУШІННЯ

Я сушу келихи вручну, чистою ганчіркою, від основи ніжки й угору.

ЗБЕРІГАННЯ

☐ На келихах осідає жир від приготування їжі, саме тому **я не люблю відкриті полиці на кухні**, принаймні ті, де зберігаються келихи.

☐ Тримайте келихи, що використовуєте найчастіше (я про форму й кількість), там, де їх найзручніше дістати. Ваші «святкові» келихи можуть стояти деінде, на вищій поличці чи внизу, в коробці. Нема сенсу влаштовувати музейну експозицію повного набору величезних бокалів для Шардоне, якщо ви раз на місяць використовуєте пару.

☐ Якщо ви не користувалися келихами якийсь час – обережно протріть їх зовні чистою, м'якою ганчіркою. (Так, я маю ганчірочку саме для цього.) Якщо скло сильно запилюжилося, то помийте їх уранці, а не перед самою вечіркою, щоб не роздавати гостям слизькі вологі келихи.

☐ Найбезпечніше зберігати келихи чашею догори.

Наливаючи вино

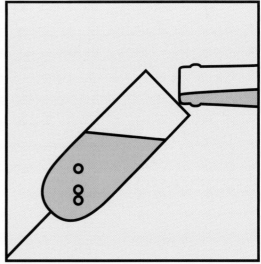

Усі вина, крім шампанського

▶ Нахиліть пляшку, цілячись у центр келиха, й налийте трошки менше за три чверті, з висоти 2,5 сантиметра від краєчків. Завершуючи, зробіть півоберт зап'ястка, прокручуючи пляшку і водночас піднімаючи її від келиха. Витріть краплі, що могли залишитися зовні на келиху чи горлечку пляшки.

Шампанське

▶ Шампанське наливають подібно до пива, щоб піна не перелилася: нахиліть келих до пляшки, приблизно на 45°, а пляшку – майже на 90°, назустріч келихові, практично торкаючись його краєчка. Наливайте напій згори по стіночці келиха. (Так шампанське пінитиметься менше, й піна не переллється раптово.) Наливаючи, залиште 5–10 сантиметрів до краєчків келиха і, прокручуючи, підніміть пляшку. Потримайте келих вертикально, поки піна осяде, та долийте ще. За потреби – повторіть.

ЧОГО ВАРТО УНИКАТИ...

Намагайтеся не торкатися горлечком краєчка келиха. Так можна його надщербити, адже це найкрихкіша його частина. (Також саме тут ви торкаєтесь келиха губами, а пляшка може бути й не надто чистою.)

Не варто наповнювати келих по вінця. Ці 3–5 сантиметрів до краєчків необхідні, щоб уловити винні аромати, а також — щоб сколихнути вино в бокалі, не розливши. Білі вина в переповненому келиху можуть так нагріватися в руці, що пити їх буде неможливо.

Наливаючи, не тримайте пляшку за горлечко. Так ви менше контролюєте вагу пляшки. Тримайте її за денце. З практикою прийде майстерність.

Намагайтеся не лишити когось із келихом шампанської піни. (Дивіться попередню сторінку.)

Перш ніж налити — зробіть отак:

Звучить дивно, але я наливаю столову ложку вина в келих і прокручуючи — омиваю вином усі стінки та денце, а тоді переливаю вино в наступний і повторюю це з усіма, що використовуватиму. (На шість келихів іде столова ложка вина.) Це називається підготовка келиха. Так я позбуваюся залишків мийних засобів, які можуть вплинути на смак. Параноя? — Згоден, але про цю обачливість я ще ніколи не шкодував. Хто ж хоче пити мийні засоби? Обробивши келихи — вилийте використане вино й починайте смакувати.

Що таке декантування і коли його робити?

▶▶▶ Вино декантують з двох причин. **Перша – так вино аерується**, тобто контактує з повітрям, розкриваючи фруктові ноти і приглушуючи таніни, за якими ці аромати бляхнуть. По суті, декантування імітує процеси, що відбуваються під час витримки вина. **По-друге, зі старшого вина в такий спосіб відфільтровують осад, що збирається в пляшці.** Молоді вина з Бордо, Бароло, Брунелло та вина Ріохи містять багато танінів, що притлумлюють аромати фруктового спектра. Щойно відкорковані пляшки таких вин – перші кандидати на декантування. Витриманіші червоні вина та «затиснуті» білі значно поліпшуються від близького

контакту з киснем. Утім, я ніколи не декантую, не скуштувавши. Якщо смаки закриті чи заглушені (фруктова палітра невловна), або вино смакує водянисто (ознака високої танінності), – декантування не завадить.

Навіть якщо перелити в скляну карафку, цього може бути достатньо. Важливо просто збільшити площу поверхні вина, що контактує з повітрям (аерація вина, по суті, відбувається і в процесі його переливання, як і під час сколихування вина в бокалі).

Одні сомельє ніколи не відфільтровують винний осад, інші не потерплять його в келиху – тут вирішуйте на свій смак.

Аерація за допомогою декантера

Передовсім: завжди куштуйте вино, перш ніж вирішити його декантувати. Воно смакує закрито чи водянисто? Коли так – продовжуйте. Переливайте вміст пляшки в декантер, наливаючи не в центр ємності, а по стінці. Пам'ятайте, що так ви прискорюєте процес оксидації, тому випити це вино варто протягом години-двох.

Вино лишається таїною! Кожна пляшка розкривається по-своєму, тому потрібний час аерації передбачити непросто. До того ж мені значно цікавіше якраз вловити еволюцію і динаміку смаків вина.

У ресторані Le Bernardin я часом декантую для відвідувача лише половину пляшки, а решту – два келихи – пропоную просто з пляшки, щоб гості могли порівняти смаки. Відкорковуючи пляшку, ви стаєте свідком народження, тому не чекайте на появу зрілої персони.

● Якщо ви хочете **аерувати вино**, то вам знадобиться ширший декантер, щоб забезпечити контакт вина з повітрям. Карафка чи навіть велика банка цілком підійдуть.

● Якщо ви декантуєте, щоб **відфільтрувати осад**, – використовуйте вужчий декантер.

● Не купуйте **штукенцій для аерації** вина. Хай вони й обіцяють створити ефект витримки, збагачуючи вино киснем у келиху, але повірте мені – це маркетинговий трюк. Є два простіші способи дати вину «поспілкуватися» з киснем: просто наливайте вино, піднявши пляшку вище над келихом, ніж зазвичай, або просто кілька разів прокрутіть келих, сколихуючи в ньому вино.

Наливання по стінці розподіляє вино більшою площею поверхні.

Покрутіть декантер за горлечко, сколихуючи вино для аерації.

▷ **Як декантувати, відфільтровуючи осад?** Ютюб вам у поміч! (Я сумніваюся, щоправда, що ви вдома відкоркуєте пляшку достатньої витримки, щоб там щось могло випасти в осад.)

Вина, які варто аерувати

☐ Молоді Бароло та Брунелло

☐ Молоді ронські купажі

☐ Молоді вина з Ріохи

☐ Молоді каліфорнійські Каберне

☐ Молоді бордо

☐ Купажі супертоскана

☐ Вина, виготовлені редуктивним методом

Вина, що можуть потребувати фільтрування

☐ Бордо, Бароло та вина з Ріохи, понад 10 років витримки

☐ Витримані каліфорнійські червоні

Як самостійно провести дегустацію

▶▶▶ Найкращий спосіб розвинути свою обізнаність – смакувати якнайбільше вин. Зібрати друзів покуштувати разом до шести різновидів вин – поєднати приємне й корисне. Ви добре проведете час і розширите своє знання про вина. Ось як це можна влаштувати:

«Правильної» кількості запрошених не існує,

але подбайте, щоб усі пили з однакових келихів. Інакше ви всі дегустуватимете дещо відмінне. Якщо келихів небагато – підготуйте відерце чи миску, куди гості зможуть виливати рештки вина перед наступною пляшкою. (Зауважте: не варто споліскувати келихи перед кожним новим вином. При контакті з водою вино розкривається інакше.)

Упорядкуйте вина відповідно до градуса, від найнижчого до найвищого.

(Цю інформацію ви знайдете на етикетці.)

Відкорковуйте по пляшці за раз.

Налийте кожному гостеві вина на три-чотири ковтки. Лишіть трохи в пляшці, щоб мати змогу повернутися до нього наприкінці й покуштувати знову, якщо закортить.

▲

Покуштували – обговоріть!

Які смаки зі сторінки 159 ви відчули? Що вам сподобалося? Що розчарувало? Чи купили б ви це вино знову? Пам'ятайте, не існує «неправильного» способу дегустувати. Найголовніше – досвід, що ви здобуваєте. Не забувайте – ми всі сприймаємо смаки, аромати й відтінки дещо відмінно. Обговорюючи свої досвіди, зауважуйте цікаві спостереження друзів. Після обміну враженнями добре скуштувати ще ковток вина та прислухатися, чи ви чогось, бува, не пропустили першого разу.

Вигадайте тему дегустації. Ось кілька ідей:

▶ **Виберіть певний сорт, країну чи регіон**, або їх поєднання, та придбайте шість пляшок у ціновому діапазоні, комфортному для всіх учасників. Так ви зберете дегустаційний набір, скажімо, з шести пляшок каліфорнійських Каберне різних виробників, або по пляшці Каберне зі США, Франції, Чилі, Аргентини, Австралії та Італії.

▶ Завжди цікаво **порівнювати вина країн Старого світу** й вина з молодих виноробних країн. Вам більше смакувало вершково-маслянисте австралійське Шардоне чи легке, виразно мінеральне Шаблі (бургундське Шардоне)? Піно Нуар, Каберне та Рислінги з різних частин світу також чудово надаються для порівнянь, а ще – ігристі вина. (Глибший контраст дасть порівняння кількох різних сортів.)

▶ **О, а яке ж розе найсмачніше?**

▶ Можете навіть **влаштувати кіновечірку** та переглядати «На узбіччі» (Sideways), смакуючи вина Каліфорнії, де й розгортаються події фільму. (Пропустіть сумні сцени та зосередьтеся на тому, як герої відвідують першу дегустацію і сидять у ресторані. Певно, варто промотати сцену, де герой краде гроші у матусі…)

Підучіть матчастину.

Почитайте про вибрану групу вин та їхні особливості, запитання в процесі дегустації точно виникнуть. Роздрукуйте ключові тези і мапу регіону.

Дайте гостям папір та олівці для нотаток.

На групових дегустаціях народжуються чудові запитання, можливо, ви зафіксуєте деякі з них. І запишіть, які вина вам сподобались, а які – ні, та чим саме.

Поради для проведення вдалої дегустації

Ідеї для дегустації просунутого рівня на сторінці 228

Підкажіть гостям, <u>яке вино принести</u>...

(скажімо, «Піно з виноградника штату Вашингтон, до 30 доларів»), або купіть вино самі, а гості хай скинуться вам на картку. Неодмінно скажіть консультанту в крамниці, що за дегустацію ви плануєте, щоб вони знали, до чого вас скерувати.

Якщо ви лише початківці, обмежтеся щонайбільше шістьома різновидами вин.

До сьомого сорту всі ваші чуття притупляться й усі аромати змішаються, а букети почнуть смакувати однаково. Не вибігайте на марафонську дистанцію у свою першу пробіжку!

<u>Запропонуйте гостям по келиху шампанського</u>, поки всі збираються на дегустацію.

Це підготує смакові рецептори й забезпечить приємну атмосферу.

Вода та дегустація

Найпевнішою страховкою від похмілля є звичка випивати удвічі більше води, ніж ви вип'єте вина, проте пиття води протягом дегустації може збити вас зі смакового сліду. Ковток води між келихами різного вина, скажімо, переналаштовує ваші смакові рецептори. Намагайтеся мінімізувати пиття води протягом дегустації. Дехто споліскує келих перед наступним вином, але в такий спосіб ви змінюєте водою структуру вина, та й неунникно розбавляєте його, якщо, звісно, не витираєте келих насухо після споліскування.

<u>Уникайте їжі</u>.

Якщо під час дегустації ви щось їстимете, особливо жирні продукти, як сири чи пате, – це суттєво вплине на те, як вам смакуватимуть вина. Переходьте до закусок насамкінець. Я люблю завершувати дегустацію горщичком рагу зі скибкою хліба.

Не забудьте про <u>відерце чи іншу посудину</u> для недопитого вина.

Також можна видати звичайні чашки тим, хто не ковтає вино, куштуючи. Але боже збав – нічого прозорого!

<u>Завершивши дегустацію</u>...

Запропонуйте всім по бокалу хрусткого, висококислотного білого чи ігристого вина – або й по келиху пива – очистити смакові рецептори.

<u>Не готові самі проводити дегустацію? Запросіть сомельє!</u>

○ Попросіть сомельє в улюбленому ресторані чи барі-винарні провести вам дегустацію або й коротку сесію куштування на три-чотири сорти. Скажіть їй або йому, чого саме вам хотілося б цього разу, та попередьте, на що розраховуєте відповідно до бюджету.

○ Попросіть працівників улюбленої винної крамнички познайомити вас із місцевою дегустаційною групою чи клубом.

Як зберігати залишки вина

▶▶▶ Часом допивати пляшку дуже не варто.
Як пересвідчитися, що вино не втратить своїх якостей до завтра?
Є безліч новомодних приладів, що обіцяють мало не безсмертя
вашим відкоркованим пляшкам, та справді дієвих способів дуже
небагато. Ось ті, що їм віддаю перевагу я.

Допийте і страждайте вранці.

(Нагадую свою пораду на с. 217.)

Запхайте корок назад і поставте пляшку – байдуже, червоного чи білого, – у холодильник.

Це вповільнить процес окислення, а саме він спричиняє вивітрювання свіжих винних ароматів і появу присмаку затхлості. (Це як з яблуком: розрізаєш його, і контакт із киснем призводить до оксидації, воно темнішає, м'якне і втрачає смак.) Я завжди маю в запасі кілька скляних чи ґумових стоперів, збережених від інших пляшок. На вигляд вони мені теж подобаються найбільше.

Для шампанських вин розщедріться на вакуумний корок.

Ви знайдете їх на касі в більшості винних крамниць. Це найкращий спосіб утримати бульбашки в пляшці до завтра.

Призвичаюйтеся до міні-пляшок!

Хоча експерти й праві, що міні-пляшки не найкращі для витримки, та коли ви самі й ціла пляшка видається надто амбіційним планом, міні-пляшка – якраз те, що треба. Непросто натрапити на міні-пляшку вишуканішого вина, та, на щастя, я вибираю міні-пляшки, шукаючи простої втіхи невибагливих вин, а не для урочистих оказій.

МІФИ ПРО ЗБЕРЕЖЕННЯ ВИНА

Срібна ложечка, вставлена у відкорковану пляшку шампанського, НЕ вберігає бульбашки від вивітрювання.

Вакуумний стопер НЕ допомагає позбутися всього кисню в пляшці. Він створює вакуум, у якому лишається певна кількість кисню, що й далі оксидує ваше вино.

Для професіоналів: коравін, оснащений надтонкою голкою, що дає змогу видобувати вино келих за келихом із закоркованої пляшки, однозначно вартий своїх 300 доларів. Ми в барі користуємося ним для побокального розливу дорожчих вин. Мушу, однак, зізнатися, що вдома так ніколи ним і не користувався – я завжди допиваю пляшку!

3

Як розвинути смакові рецептори

▶▶▶ Гарантую вам: що більше ви дегустуєте, то більше змінюється ваш смак. Совіньйон Блан і Мальбек — це прекрасні сорти, але в певному розумінні, якщо ви захопилися вином, то будете прагнути більшої складності його характеру. Важко повернутися до Просекко, коли скуштував чудового шампанського. (Вибачте!) Але, звичайно, вони обидва доречні в певний час і в певному місці.

Подумайте про це за аналогією: якщо ви виросли далеко від океану, вам, мабуть, не одразу сподобаються устриці. Але з часом ви їх оціните. А потім, якщо вам цікаво, покуштуєте різні види, помітивши різницю між устрицями з Кумамото й Мальпека, Західного узбережжя та Східного. Те саме з вином. Ви, певно, не зможете полюбити бордо відразу (воно може здатися занадто танінним, огортаючи ваші смакові рецептори, та водянистим або кислим; вино — це передусім наші смакові рецептори). Те саме стосується шампанського brut nature, занадто складного й вимогливого для початківця, та шеррі, може знадобитися час, щоб їх вивчити й полюбити їх складну сутність. Але над усім цим, безумовно, варто попрацювати. У вас вийде, я б сказав, щасливий шлюб на багато років, завдяки стабільній якості цих сортів. Штука не в тім, щоб стати винним снобом. А щоб їх оцінити і знайти радість у магії, якою наділений ферментований виноградний сік. Ось кілька найкращих способів учитися й рости.

Облаштувати бібліотеку смаків

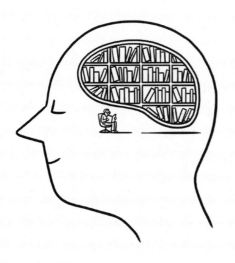

▶▶▶ Я впевнений, що всі смаки, які з нами від самого дитинства, архівуються, як дані, готові до відтворення за першої потреби. Щоб допомогти вам дібрати до них певні слова, рекомендую читати дегустаційні нотатки письменників – вони збагатять словниковий запас. (Подивіться пропозиції на с. 243.) Не хвилюйтеся, не треба їх вивчати. Просто спостерігайте, які слова вони вживають. Ось деякі інші техніки.

△ Дегустуйте більше.

Ясна річ, що більше ви дегустуєте, то більше дізнаєтесь. Почніть з компанії друзів: проведіть дегустації вдома, відвідайте винні бари й ресторани, порівняйте кілька різних вин, або попросіть сомельє укласти для вас дегустаційний сет. Відвідайте дегустації у винних магазинах: ви багато скуштуєте задарма, ще й познайомитеся з тими, хто також цікавиться вином, можливо, – створите винну групу.

● Дегустуйте розумно.

Сховайте телефон, сфокусуйтесь на келиху у ваших пальцях. Ви укладаєте бібліотеку ароматів та запахів, і ці спогади не вийде належно зафіксувати, відволікаючись на і-мейли. Будьте в моменті: це смачно.

◻ Нюхайте все!

І знову про картотеку смаків: я люблю відчувати запах хліба, масла тощо. Проходячи повз фермерський ринок, вдихаю аромати полуниць, помідорів та зелені. Ми смакуємо їжу спочатку носом, тож працюйте над тим, щоб мати якомога більше «пахощів» у своїй бібліотеці.

▽ Мандруйте!

На початку кар'єри я три місяці жив у Тоскані, вивчаючи к'янті. Зрештою, я міг визначити, з якого села та чи та пляшка, скуштувавши з неї. Це вже крайній прояв, але перебування в місці, де вино було виготовлене, породжує глибші розуміння і вдячність. Не треба продиратися виноградниками, щоб осягнути контекст. Хоча я дуже рекомендую вам колись здійснити винну мандрівку. Будучи, скажімо, в Парижі, Римі чи Барселоні, щодня пити інше вино (або й три) і їсти місцеву їжу, що подають до нього, – це допоможе зосередитись на вині. А ще краще – поїдьте у винну мандрівку з друзями, це відкриє вам нові аспекти сприйняття.

МОЇ УЛЮБЛЕНІ ВИННІ ПОДОРОЖІ

☐ **Альто-Адідже, Італія**

Невибагливо, красиво й недорого. Винороби тут набагато привітніші, ніж, скажімо, у Бургундії. Відвідайте Кантіну Терлано, великий кооператив зі значними запасами старих вин, і й Й. Хофштеттера, одного з найкращих виробників Піно Нуар у мальовничому містечку Трамін. Бонус: ви можете поїхати через Мілан або Венецію, щоб надолужити культурну складову.

☐ **Австрія**

Доброзичлива, для любителів поїсти і цілком зелена з погляду фермерства. Відвідайте Ніколайгоф у Вахау: збудований навколо другої в Римській імперії церкви, де римляни викопали льох! Тут також є приємна маленька таверна. Неодмінно зупиніться у Відні, одній з небагатьох світових столиць-домівок значної кількості виноробів. Вечір у Weingut Wieninger – це обов'язково.

☐ **Каліфорнія**

Це так весело! Залишайтеся на стороні Сономи або спустіться до Санта-Барбари. Ви ж хочете побувати там, куди важко потрапити! Відвідайте виноробню Гензел і вирушайте до Гірша милуватися краєвидами узбережжя Сономи, зазирнувши на устричний острів Хоґ Айленд, щоб повечеряти.

⚠ Ніколи не переставайте вчитися.

Знайдіть критика, чиї смаки вам подобаються, і регулярно читайте його відгуки. Дженсіс Робінсон у «Financial Times» або на її сайті Purple Pages, Ерік Азімов у «New York Times», Летті Тіґ у «Wall Street Journal», чи Антоніо Ґаллоні на vinous.com, – так можна довідатися багато нового. Найпростіший спосіб дізнатися, з ким у вас подібні смаки, – придбати пляшку, якій присуджено близько 93 балів (або 16–17 балів від Дженсіс), і скуштувати. А от 100-бальне, по ідеї, усім смакуватиме на 100 балів. І підпишіться на цікавих сомельє в інстаграмі, щоб бачити, що і де вони п'ють. Це цікавий спосіб довідатися про досі незнане, надто коли сомельє подорожують. Підписавшись на місцевий винний магазин в інстаграмі, ви не пропустите дегустацій і поповнення асортименту.

Перейдіть на сторінку 242, там ще більше джерел для розширення своїх знань про вино!

ЛЮДИ ВИНА, НА ЯКИХ Я ПІДПИСАНИЙ В ІНСТАҐРАМІ

@jancisrobinson / Дженсіс Робінсон, винна критикиня, Лондон

@rajatparr / Раджат Пар, винороб, Каліфорнія

@pascalinelepeltier / Паскалін Лепельтьє, сомельє, Нью-Йорк

@ess_thomas / Сара Томас, сомельє, Le Bernardin, Нью-Йорк

@bobbystuckeyms / Боббі Стюкі, співзасновник Frasca Food and Wine, Боулдер, Колорадо

@jaymcinerney / Джей МакІнерні, письменник і критик, Нью-Йорк

@ericasimov / Ерік Азімов, критик, Нью-Йорк

@pazlevinson / Паз Левінсон, сомельє, Париж

@sorenledet / Сьорен Ледет, сомельє, Копенгаген

@weinwunder / Стівен Рейнгардт, критик, Роберт Паркер, Німеччина

@marco_pelletier / Марко Пелтьє, сомельє, Париж

ПІДКАЗКИ ПРО ТЕ, ЩО ВИ СТАЄТЕ ПОЦІНОВУВАЧЕМ

☐ Про вино до вечері ви думаєте ще під час ланчу.

☐ Ви починаєте подорожувати заради вина.

☐ Ви підписуєтеся на сомельє в інстаграмі.

☐ Підписуєтеся на Дженсіс Робінсон.

☐ Реєструєтесь у кількох винних клубах.

☐ Починаєте переробляти свій підвал під винний льох.

☐ Купуєте більше одного «хорошого» келиха.

☐ Створюєте винний хештеґ.

☐ Починаєте брати участь у сліпих дегустаціях.

☐ Починаєте вивчати винні карти ресторанів в інтернеті.

☐ Можете визначити, лівобережним чи правобережним є певне бордо.

Дегустація на найвищому рівні

▶▶▶ Щойно будете готові до чогось цікавішого за ореґонські Піно й Шардоне з цілого світу, ваше життя ускладниться, але в доброму розумінні. Знайдіть групу однодумців, готових мандрувати з вами. І пам'ятайте: що більше людей ви залучите, то більше вин вийде скуштувати, розділивши вартість на всіх. Ось кілька порад.

▼ Рухайтеся вертикально.

Скуштуйте вина того самого виробника з 2016 року по 2012, щоб побачити, як розвивається винороб і який збір винограду був особливим, з урахуванням погоди. Пам'ятайте, що теплі роки міцніші за алкоголем, а врожаї холодних – кисліші. (З погляду пошуку вин для таких видів дегустацій, інтернет – ваш друг, тільки врахуйте час доставки, щоб вино прибуло до дегустації.) Якщо хочете вийти на якісно новий рівень, роздрукуйте таблиці винних мілезимів. Ви можете знайти їх в онлайн у журналі Decanter, у Wine Spectator або на сайті Дженсіс Робінсон. Шукайте, наприклад, «2015: Багато дощу. Град у липні. Дозріло теплого літа. Дуже ранній урожай». Такі речі.

▶ **Спробуйте:** вина від Жульєна Сеньє (кюве Флер), Domaine de la Côte (Піно Нуар), Пітер Лауер (Рислінг).

● Від урожаю до врожаю.

Скуштуйте урожай одного року з різних регіонів однієї країни. Це унаочнить регіональну розтягнутість сезонів урожаїв протягом року, а ви зрозумієте, як, зрештою, погода впливає на вміст пляшки: як смакують вина гарячого, сухого року порівняно з роком прохолодним, дощовим? Як проявляються фрукти? Який рівень алкоголю? Як кислотність відчувається на смак? Можливо, зібрана в Google інформація про врожаї теплих і холодних років з різних країн (або навіть з однієї!) – протягом року – допоможе вам вибрати по три пляшки кожного типу.

▶ **Скуштуйте:** 2017 (дуже теплий рік) від німецьких виноробів (Лейц, Лауер та Келлер) порівняно з 2016 (урожай прохолоднішого літа).

▣ Відчуйте покоління.

Може бути цікаво скуштувати вина, що виготовили син чи дочка винороба, і які успадкували його справу, та порівняти з пляшкою, яку розлив ще батько. Імовірно, їхні стилі виноробства такі ж різні, як класичний та інді-рок.

▶ **Скуштуйте:** Алоїз і Герхард Крачери (асортимент сортів), Марсель і Матьє Лап'єри (Морґон), Дідьє та Луї-Бенджамін Даґено (Пуї-Фюме), Джонатан і Дідьє Пабіо (Пуї-Фюме).

△ Відвідайте знаний винний регіон.

У вашій бібліотеці винних смаків неодмінно має бути розділ класики. Для цього з часом доведеться вирушити в Бордо, Бургундію, П'ємонт і Ріоху. Ціни там, авжеж, кусатимуться; можливо, це означає, що ви з друзями скинетеся, щоб випити три 60-доларові пляшки Бордо замість шести пляшок по 25 доларів. Або зекономите й купите одне лівобережне бордо й одне правобережне. Але слухайте, якщо десятеро скинуться по 50 доларів, ви зможете придбати пляшку Марґо – по пів склянки на кожного. Суть цієї дегустації полягає в розширенні ваших уявлень про вино шляхом відкриття справді «хорошого» смаку. І якщо виявиться, що ви божеволієте від Бароло, але це виходить за межі вашого бюджету, то можете дослідити доступніші варіанти, як-от Небіоло з Альби або такий його клон, як Спанна. Головне, не викидайте гроші на надміру розкручені вина. Я завжди кажу: що принадніша пляшка чи стильніший вебсайт, то менше уваги приділялося самому вину.

▶ **Спробуйте:** вина другого рівня, наприклад, Ехо де Лінч Баж, Домен Сильван Патай Марсане, Мезон Жозеф Друен Шамболь Мюзіньї; к'янті Класіко Різерва з Фельсіни або супертоскани, як Ле Перґоле Торте з Монтевертіне.

ЩО РОБИТИ, КОЛИ ВИНО СМАКУЄ ЯК…

☐ **Капуста**

Це вино готували редукційним шляхом, дуже модно! Якщо не подобається, спробуйте профільтрувати.

☐ **Мадера**

Ніби підігріте, оксидний аромат іноді зникає за кілька годин у холодильнику. Або подавайте вино з сиром.

☐ **Хутро миші**

Цей ефект спричинюють дріжджі Brettanomyces, частіше він трапляється в «натуральних» винах. Хтось любить Бретта, хтось його терпіти не може. Профільтруйте вино, це може допомогти.

☐ **Старий корок**

Віднесіть вино туди, де купили. Вам повинні повернути гроші.

☐ **Оцет**

Тут уже нічого не вдієш. Чому б не використовувати його як… оцет?

▽ Дегустуйте наосліп.

Але не зав'язуйте гостям очі – замаскуйте пляшку, загорнувши в паперовий пакет: це позбавить упереджень і залишить вам просто смак. Якщо хочете розлити вино в келихи заздалегідь, пронумеруйте шість паперових костерів під келихи, щоб люди могли відстежувати рух дегустації і робити нотатки. Ви можете перетворити це на гру-вгадування, чи просто робіть нотатки й діліться ними. Це Новий світ? Старий світ? Французьке? Італійське? Вгадаєте сорт? Чи має це вино певну витримку? В кінці дегустації все це буде розкрито. Одна порада: перед тим не варто їсти гострого чи пити каву. Це притлумить ваші смакові відчуття.

▶ **Скуштуйте:** усе, що вам захочеться!

● Дегустуйте за ґрунтом.

Це, певно, верх ботанства, але й одна з моїх улюблених дегустацій. Коли сомельє Le Bernardin Сара Томас запитала, що я мав на увазі, сказавши, що європейські сомельє «смакують ґрунт», а американські – фрукти, я влаштував дегустацію Рислінгів з Німеччини, де в різних регіонах різний теруар – червоні, сині та сірі сланці Мозеля, пісковики Нае, кварцити Рейнгау та вулканічний ґрунт Пфальцу. Кожне вино смакувало трохи інакше. Ви також можете чудово це відчути з австралійським та ронським ширазами.

Спробуйте цю епку:

Хосе Андрес запустив WineGame для смартфонів, який упорядкує для вас сліпу дегустацію з запитаннями, спираючись на фото етикеток ваших пляшок. **Увага:** це пробуджує азарт і призводить до звикання!

Як за місячним календарем визначити, коли пити вино

▶▶▶ До місячного календаря століттями вдаються фермери, щоб визначати, коли потрібно щось садити й коли збирати врожай. Його також можна використати, щоб дізнатися, у які дні найкраще пити вино. На початку XX століття Рудольф Штайнер, який створив біодинамічну систему землеробства, вважав, що виноградні лози пов'язані з чотирма стихіями – це земля, вода, повітря і вогонь. Кожна стихія найпотужніша, коли перебуває у відповідному сузір'ї, і впливає на те, як смакує вино. Ви можете ставитись до цього скептично, але

винороби, якими я захоплююсь, поклянуться, що все це правда!

Навіть я визнаю, що в деякі дні, коли ви куштуєте знайоме вино, воно вас не вражає, хоча в інші смакує неперевершено. Але, перш ніж шукати проблему у вині, подумайте про це так: ми, люди, чутливі до повні, зміни атмосферного тиску тощо. Тож не думаю, що це вино змінюється відносно планет. Річ радше в нашому сприйнятті. Місячний календар допоможе вирішити, коли краще пити.

О

Додаток When Wine Tastes Best має календар, який буде завжди під рукою. Зверніться до нього, перш ніж відкоркуєте дорогу пляшку.

Зразок календаря

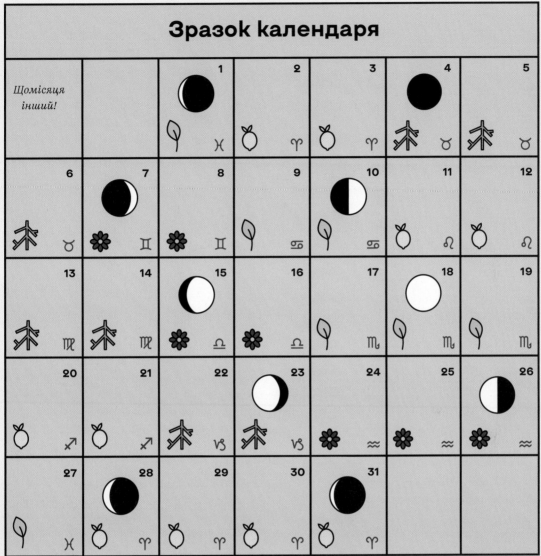

День коріння
Не найкращий день для дегустації вин, адже вони сприймаються як закриті. Дні коріння в земних знаках: Козеріг, Телець і Діва.

День листя
День, коли рослини виробляють хлорофіл, тому *вино на смак менш яскраве*. Ці дні у водних знаках: Рак, Скорпіон і Риби.

День квітів
Гарний день, щоб нюхати! Винні аромати будуть насиченіші. Ці дні в повітряних знаках: Близнята, Терези та Водолій.

День плодів
Найкращий день для дегустації вина, коли воно буде найбільш відкритим і запашним. Це дні вогняних знаків: Овен, Лев і Стрілець.

Проміжний дегустаційний словник

Ось кілька термінів, пов'язаних з дегустацією та виноробством, які ви почуєте, вирушивши у світ вина.

СУВОРЕ (АСКЕТИЧНЕ) – туге, висококислотне, з нефруктовим ароматом вино. Зробивши ковток, ви відчуваєте, ніби намагаєтесь їсти пісок!

БАЛАНС – ознака вина, у якому солодкість, кислотність, таніни, алкоголь і текстура перебувають у рівновазі.

ФЕРМА (СКОТНИЙ ДВІР, КОРІВНИК) – дегустаційний термін для позначення наявності тваринних (анімалістичних) ароматів. По-іншому можна сказати, що в букеті вина присутні відтінки перегною, непастеризованого молока, мокрої шерсті.

БОТРІТІС – грибок, що може вражати виноград, концентруючи вміст цукру, а також надавати сухим винам медового аромату. Інша назва – «благородна цвіль / пліснява».

БРЕТТ – скорочення від Brettanomyces: вид дріжджів, що надають червоним винам аромату, подібного до запаху кінської збруї, старого сідла і ферми – часто вживана характеристика «натуральних» вин.

ЖУВАЛЬНІСТЬ – дегустаційний термін щодо вина, таніни якого більше пружні, ніж шершаві.

ЗАКРИТІСТЬ – дегустаційний термін щодо концентрованого на смак, але з важко диференційованим ароматом вина, що свідчить про його поступове «відкривання» з часом.

КОРОК (КОРКОВА ХВОРОБА) – дегустаційний термін щодо вина із запахом запліснявілого підвалу, мокрого картону чи трухлявого дерева.

ХРУСТКЕ (ПОТРІСКУЮЧЕ) – дегустаційний термін щодо приємно освіжних кислотних вин. Здебільшого вживаний до білих, рожевих вин і шампанського.

СУХЕ – дегустаційний термін щодо вина з дуже низьким умістом цукру – від 1 до 10 грамів залишкового цукру на літр.

НЕПРИЧЕСАНЕ (КОСТРУБАТЕ) – дегустаційний термін для злегка «кусючого», недружелюбного (з огляду на трохи підвищену кислотність і таніни, а іноді й мінеральність) вина. Протилежність округлому вину.

ВИТОНЧЕНЕ (ТОНКЕ) – дегустаційний термін щодо вина, яке має сюжет: елегантне, багатошарове, з інтригою, захопливе. Некрикливе. Думайте про це, як про класику проти хіп-хопу.

ЗБИТЕ (ЗАРЯДЖЕНЕ) – дегустаційний термін щодо вина, яке має помітні, але не агресивні таніни.

В'ЯЛІСТЬ – дегустаційний термін щодо вина, якому не вистачає кислотності.

ЧІПКИЙ ТАНІН – дегустаційний термін щодо вина з танінами, які ніби склеюють рота.

ДЖЕМОВЕ – дегустаційний термін щодо вина з концентрованою фруктовістю і багатою текстурою в ротовій порожнині.

СТРУНКЕ (ВИСТРУНЧЕНЕ) – вино з енергійною та чіткою структурою, усі смакові нюанси якого ніби послідовно витягнулися на одній прямій.

МАДЕРИЗАЦІЯ – про біле вино, яке занадто довго зазнавало дії кисню і / або тепла. Його коричнево-жовтий колір та карамельний смак нагадують солодке португальське вино мадера з однойменного острова.

МЕРКАПТАН – група летких сполук, що спричиняють запах тухлих яєць.

МІНЕРАЛЬНІСТЬ – дегустаційний термін щодо ароматичних речовин, які надають вину відтінків сланцю, крейди, мокрого каменю або гравію. У вині немає мікроелементів зазначених матеріалів – вважається, що на ці аромати впливає теруар.

МИШАЧИЙ ТОН – дегустаційний термін, що описує вино, яке пахне... ну як мишаче хутро. (Вибачте, але це запах, знайомий будь-кому, хто в дитинстві мав мишку як хатню тваринку.)

РОТ – дегустаційний термін для опису текстури або ваги вина.

НАПІВСУХЕ – дегустаційний термін щодо вина з низьким умістом цукру – від 17 до 35 грамів залишкового цукру на літр для ігристого вина або понад 9 грамів для тихих вин.

ОКИСЛЕНЕ (ОКСИДОВАНЕ) – вино, що задовго контактувало з повітрям, яке призвело до втрати свіжості й фруктовості. Це може статися, якщо залишити його в пляшці чи бокалі на ніч або й на кілька годин, або ж з плином часу через нещільний корок чи пляшку, яка занадто довго зберігалася у вертикальному положенні.

СМАК (РОТ) – термін стосується особистих дегустаційних здібностей і вподобань дегустатора. У вужчому значенні позначає чутливі до смаків зони язика.

РЕДУКЦІЯ – дегустаційний термін щодо вин, які не мали достатнього доступу кисню під час бродіння. Результат – відтінки білокачанної капусти та білого кунжуту.

БАГАТЕ – дегустаційний термін щодо вина, яке має масивний смак. Багато фруктів, багато спецій і трохи залишкового цукру дають відчуття повноти.

ОКРУГЛІСТЬ – дегустаційний термін щодо згладжених, але не надто м'яких танінів вина.

ЕЛАСТИЧНІСТЬ (ПРУЖНІСТЬ) – дегустаційний термін щодо вина, кислоти й таніни якого гармонійно збалансовані.

ТАНІННІСТЬ (ТЕРПКІСТЬ) – дегустаційний термін щодо вина, яке висушує язик і щоки. Танінні вина часто чудово підходять до насиченої жирної їжі, допомагаючи очистити рецептори.

ОВОЧЕВЕ (ЗЕЛЕНУВАТЕ) – дегустаційний термін щодо вина, якому притаманні овочеві тони, найчастіше зелених сортів, наприклад зеленого болгарського перцю.

Витримка має значення

▶▶▶ **Люди переймаються тим, якого врожаю, хорошого чи слабкого, певна пляшка вина.** Це має сенс, якщо, скажімо, замовляти вино року вашого народження у вишуканому ресторані, або розмірковувати, чи варта витримки та молодша пляшка, яку ви думали взяти в магазині, чи цікавитись, чого, приміром, бургундське 2009 року коштує набагато дорожче, ніж 2011. Моя думка? Я ненавиджу, коли таблиця винних мілезимів радить вам, за вино котрого року врожаю платити будь-яку ціну, а котрого — уникати.

Якість урожаю залежить від погоди певного року та умов, коли збирали виноград. Прохолодні, дощові роки дають вищу кислотність, менше фруктових ароматів, а спекотні – породжують високоалкогольні й цукрові бомби. Рік з морозом чи градом? Так! Ідеальний рік означає, що виноград має оптимальний баланс між достатньою кількістю дощу, сонця, не має гнилі та грибка, плід прекрасно дозрів, стебла цілком здерев'яніли, а насіння повністю розвинене, коричневе. Але будь-хто за кермом автомобіля знає, що, проїхавши кілька миль від дощової, прохолодної сільської частини країни, можна опинитись у сонячній, теплій місцині, адже кожна країна – як і кожен регіон, ба навіть виноградники в межах одного регіону – різні. Як визначити це в таблиці винних мілезимів?

Інша річ, про яку слід пам'ятати, що більшість бургундських і бордоських вин, віком яких колекціонери найбільше одержимі, оцінюють і виносять на дегустації, коли вони en primeur, інакше кажучи, щойно зроблені. Як, скуштувавши їх, критики можуть знати, що вино буде чудовим через двадцять чи тридцять років – час, необхідний для таких вин, щоб набути ідеальної питної форми, або що з так званого поганого врожаю не розквітне у щось прекрасне, часто й за короткий час? І пам'ятайте, що будь-який винороб може виготовити чудове вино у вдалий рік, але чудовий винороб знає, як зробити хороше вино в поганий рік. Тож, якщо ви мисливець за вигідними пропозиціями, пошукайте їх серед невдалих років у відомих виноробів. Одного разу ми проводили дегустацію з романістом і винним письменником Джеєм МакІнерні та виноробом Ґійомом д'Анґервілем з Вольне. Ми скуштували вина аж до 1928 року, це було шаленство! Що нас по-справжньому здивувало, особливо Ґійома, – як добре смакували так звані гірші врожаї. Так що не будьте ейджистом!

Моя коротка відповідь: я рідко витримую вино, за яке заплатив менше ніж 30 доларів. Ці вина призначені для вживання молодими, коли ви насолоджуєтесь первинними фруктовими ароматами, такими як ананас, вишня, полуниця, зелене яблуко, цитрусові, а також квіткові ноти, як-от троянда, або трав'янисті / рослинні компоненти, зокрема евкаліпт чи болгарський перець. Вторинні аромати походять головно з процесу бродіння. Вони включають дуб, ваніль, каву, кедр, вершкове масло та йогурт.

З часом витримки свої для кожного сорту винограду первинні та вторинні ароматизатори стають делікатнішими, відходять на задній план, тимчасом як третинні аромати стають помітнішими: трюфелі, сухе лісове листя, висушений сигарний тютюн, бісквіт. На цьому етапі вино стає неймовірно приємним букетом запахів. Кожен елемент гармонює з іншими, а післясмак залишиться в роті. Витримане вино змушує вас смакувати вдумливо. А молоде? Воно легко питиметься, і не спричинить жодних інших думок, окрім того, як вам зараз весело. Отже, так, вік має значення.

ВАЙНХАК АЛЬДО

▶ Поговоріть зі своїм улюбленим винним магазином або сомельє, який знає ваші смакові вподобання, про те, щоб скуштувати вина витримані. Не починайте із замку Мутон-Ротшильд 1945 року! **Купіть п'ятирічне вино і насолоджуйтесь ним, а потім досліджуйте те саме вино і / або той самий регіон десятирічної витримки.** Так ви зрозумієте, як ці вина розвиваються, і зробите свої висновки.

Купуючи витримане вино

▶▶▶ Що, здавалося б, складного в тому, щоб придбати пляшку, вироблену кимось іншим? Водночас... Як і ми, люди, вина мають свою криву старіння. І, залежно від корка, не кожна пляшка старіє однаково. Купуючи витримані вина, важливо знати їхнє походження. Це справді складно, якщо ви не є досвідченим покупцем. Вино дійсно зберігалось у темному місці, з контрольованою температурою? Чи справді його транспортували – як в країну, так і до магазину – у контейнері з контролем температури? Його дійсно тримали на боці, щоб корок лишався вологим? І так далі. Якщо купуєте вино на аукціоні чи в інтернеті, чи можна знати напевне, що його не тримали сорок років зверху на холодильнику в спекотній кухні? На жаль, не можна.

Ось чому завжди потрібно купувати вино в авторитетному магазині чи аукціонному домі. Старий чи пересушений корок трухлявітиме, повільно пропускаючи повітря досередини, прискорюючи процес старіння. Ми, професіонали, дивимось, чи сягає «плечей» рівень наповнення пляшки. Ми також перевіряємо етикетку, щоб переконатися, чи не пошкоджена вона світлом або вологістю. І, звичайно, якщо пляшка виставлена в магазині вертикально, ми проходимо далі.

ЩОДО ТАБЛИЦЬ МІЛЕЗИМІВ

▶ Одразу прошу вибачення, але хочу сказати одне: я ненавиджу таблиці мілезимів. Вони корисні для досвідчених колекціонерів, які планують розбудовувати винний погріб. Але якщо ви починаєте складати онлайн-таблицю мілезимів, скажімо, Бургундії, регіону, де так багато відмінних від центрального районів і долин, кожне зі своїм мікрокліматом, складно буде вивести загальний висновок про те, що Х був ідеальним роком для кожного винороба в регіоні.

Ці ідеальні роки, звичайно, найдорожчі, та знайти їх складніше. **Я вважаю за краще шукати так звані гірші врожаї.** Вони не тільки коштують на 50 відсотків дешевше – ви часто можете випити їх раніше. І ці гидкі каченята часто розкішно розквітають, поки ніхто не дивиться.

Білі проти червоних

Ми зосереджуємось на витримці червоних вин більше, ніж білих, хоча білі можуть «старіти» дуже добре. Німецький, австрійський та ельзаський Рислінги – це магія. Шаблі / Біле бургундське, марочне шампанське з власних виноградників та Шенен Блани Луари старіють чудово. Звичайно, таких назв більше, але перелічені – вже непоганий початок.

Хорошому бургундському, бордо, ронським, Бароло, Барбареско та винам з Ріохи витримка майже завжди на користь. Молоді таніни, отримані з виноградних шкірок, стебел і кісточок, а також деревні таніни від дубових бочок часто впливають на те, що під час дегустацій червоне вино здається вам «водянистим». (Особливо це стосується бордо.) Таніни якимось чином «укривають ковдрою» ваші смакові рецептори, і вино на середньому піднебінні сприймається як водянисте. Більшість людей злегковажать таким вином, але простежте за розгортанням смаку, а також за тим, як швидко таніни зникають. Зазвичай таким винам витримка дуже на користь, адже таніни м'якшають, а фруктовий букет розквітає.

... І проти рожевих

Розе слід випити того ж року, коли воно розлите в пляшки. Якщо ви випадково забули, що у вас стоїть пляшка розе з Піно Нуар або від легендарного виробника Темпіє з Бандолю, все одно протягом року-двох можете дати йому шанс.

ДУЖЕ ХОРОШІ (ТОБТО ДУЖЕ ДОРОГІ) ВРОЖАЇ

▶ Якщо вам цікаво, чому ціна на французьке червоне 2005 року вдвічі перевищує ціну на вино 2006 року з того самого виноградника, то це тому, що 2005 рік вважають чудовим. Якщо ви схожі на мене, то шукатимете вигідних пропозицій на периферії, знаходячи вина від хороших виробників у «невдалі» роки. Додатковий бонус цих вин полягає в тому, що вам переважно не доводиться витримувати їх надто довго, перш ніж відкоркувати й насолоджуватись. Знаю, я щойно сказав, що ненавиджу таблицю мілезимів, але ось мій вибір найкращих пропозицій за останнє десятиліття. Не сприймайте це за остаточну істину!

2016 Австрія	**2007** Бургундія (біле)
2014 Іспанія	**2004** Тоскана П'ємонт
2010 Бургундія (біле і червоне)	**2001** Рона Бургундія Бордо
2009 Бордо	**2000** Бордо
2008 Шампанське	**1999** Бургундія (червоне)

Коли вже можна пити це вино?!

Санджовезе (к'янті)

Ґренаш (Південна Рона)

Ґаме

Рожеве (пийте одразу!)

РОКИ ①②③④⑤ ⑩ ⑮

Просекко / Асті Спуманте / кава (пийте одразу!)

Шампанське нонвінтаж (пийте одразу!)

Піно Ґріджіо

Шардоне (енергійне та свіже)

Ігристе вино

Віонье / Кондріє

Совіньйон Блан

Шардоне (вершкове й маслянисте)

Білі з Рони

Біле бургундське

Мюскаде

▶ Насправді ж, ви не можете знати, коли настає найкращий момент для вина, – це змінюється з року в рік, від виноградника до виноградника, від виробника до виробника. Найкращий спосіб дізнатись – купити від шести до дванадцяти пляшок однакового вина й покуштувати його впродовж дванадцяти років. Робіть нотатки! Так ви довідаєтесь, як розвивається вино. Цей посібник пропонує досить широкий вибір. Чи будете ви витримувати вино, вирішувати вам.

Небіоло (Бароло і Барбареско)

Каберне Совіньйон (Бордо)

Шираз

Темпранільйо

Мерло (правий берег Бордо)

Каберне Совіньйон (долина Напи)

Піно Нуар (Бургундія і Каліфорнія)

20   30   50   РОКИ

Вінтажне шампанське

Шенен Блан

Рислінг

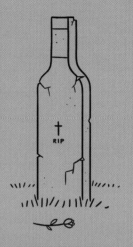

Чому варто насолоджуватися винами для особливої нагоди просто зараз

Іноді мені здається, що це один з дивацьких принципів шанувальників вина: вони відчувають, що їм треба зберегти цю особливу пляшку для особливої нагоди. Втім, час минає, а достатньо особливої нагоди ніколи не трапляється... поки нарешті вони не помирають, а їхні діти не віддають ці старі пляшки сусідам або не продають їх задешево аукціонному дому. Ви не можете запхати ті бордо 1989 року до власної труни, то чого ж ви чекаєте? Моя філософія полягає в тому, що, хай коли б ти відкоркував пляшку вина, це і є особлива нагода.

Як почати

колекціо-нувати

вина

▽ Спробуйте і вирішуйте.

Перш ніж почати інвестувати в цю справу, найперший і найважливіший крок – з'ясувати, що вам смакує, а що – ні. На те, щоб це з'ясувати, у вас піде щонайменше кілька років. Дайте своїм смаковим рецепторам час, щоб еволюціонувати. Якщо ви одразу зберете колекцію австралійського Ширазу, щойно захопившись вином, то що робитимете за два роки, коли полюбите складніші вина? Смакуйте, набувайте досвіду, освойтеся у світі вина.

◉ Будьте багатовимірними.

Я купую деякі відомі вина як інвестицію в майбутнє, але більшість моєї колекції – це вина для щоденного споживання. Я беру до уваги сезони (а також заплановані страви), обираючи між легкими, середньотілими та повнотілими винами.

△ Запитайте професіонала.

Попрацюйте з винним фахівцем, який допоможе вам сформувати колекцію. Це може бути власник винного магазину, або ж ви можете найняти свого улюбленого сомельє.

◼ Пропускайте аукціони.

Не викладайте всі свої гроші на аукціонах, доки не знатимете, що вам подобається. Так, вигідна покупка можлива, але вас можуть так само легко обдурити. Окрім винятків, коли вино надходить безпосередньо від винороба, складно сказати, як воно зберігалося й транспортувалося, тому немає жодної гарантії, що вино досі кондиційне і в належному стані. Крім того, аукціонний дім бере близько 22 відсотків комісії, плюс податок з продажу і доставка! І, на відміну від винного магазину, якщо вино погане, ви не можете його повернути. (Те саме стосується замовлення вин через інтернет.) Я повторю це ще раз: особисті стосунки – це найголовніше. Надто коли мова про аукціонний дім.

◯ Уникайте нещасних випадків.

Створіть зо дві запасні полиці з вином для своїх рідних чи коханих, щоб вони ненароком не спорожнили ваші надзвичайні запаси, коли шукатимуть, що б такого випити з друзями саме цієї хвилини! Це, безперечно, ключовий момент, бо ж такі нещасні випадки трапляються...

Джерела

▶ Окрім критиків, згаданих раніше, які можуть вам допомогти довідатися про врожай та умови вирощування, є багато чудових ресурсів, завдяки яким можна стати повноцінним винним ґіком. Ось кілька моїх улюблених:

Книжки

The 24-Hour Wine Expert від **Дженсіс Робінсон** – це міні-біблія для вашої експрес-підготовки. Авторка – богиня! А коли будете готові до повного занурення, звільніть місце для **The Oxford Companion to Wine**, що його Дженсіс зредагувала у 2015 році.

The Master Guide. Посібник Мадлен Пакетт і Джастіна Хаммака в яскравих, легких до запам'ятовування графічних зображеннях розкриває інформацію про смаки, сорти винограду та регіони вирощування. Якщо ви вивчаєте світ візуально, ця книжка стане вашим найкращим винним другом.

The New Wine Rules від **Джона Бонне** – розумний, веселий підхід до вина, який руйнує затиснутий снобський підхід.

Secrets of the Sommeliers Раджата Парра. Дізнайтеся, що п'ють і пропонують найкращі сомельє.

Champagne: The Essential Guide to the Wines, Producers, and Terroirs of the Iconic Region від **Пітера Лієма**. Неймовірно насичений, добре прописаний та важливий путівник. Завдяки унікальним розкладним картам, він ще й колекційний.

The Juice: Vinous Veritas від **Джея МакІнерні**. Кумедні й повчальні нариси про круте і класичне у виноробстві.

Програми

Delectable пропонує цікавий спосіб відстеження вин, які вам подобаються. Сфотографуйте пляшку – і програма повідомить, де її можна придбати. Програма також дає змогу побачити, що нещодавно шукали в епці ваші друзі, це породить багато цікавих обговорень.

Vinous. Поєднує в собі відгуки, таблиці мілезимів і статті про вино, а також – пошук за фотографіями етикеток, які ви завантажите зі смартфона.

Вебсайти

Punch. На цьому сайті є фантастичні матеріали про вино, які пишуть Талія Байоккі, Джон Бонне, Захарі Суссман та Меґан Криґбаум.

Jancis Robinson's Purple Pages. Сайт лише для підписників, надає доступ до десятків років дегустаційних нотаток і статей. Її щотижневий бюлетень теж чудовий.

Vinous Media. Колишній критик Роберта Паркера Антоніо Ґаллоні створив мультимедійну виноімперію. Відгуки (про вина, а також про винні карти ресторанів), статті, програми – що завгодно.

Wine Folly. Мадлен Пакетт робить науку про вино неймовірно доступною і веселою. Найкращий викладач для візуалів, які воліють навчатися на добре розроблених графіках і таблицях.

Журнали

Wine & Spirits Magazine. Письменник Джош Ґрін викладає статті з ретельними винними розвідками. Він також один з моїх улюблених інтерв'юерів.

Fine – цей європейський журнал пропонує чудові путівники шампанськими винами.

ЯКИЙ КРИТИК ПІДХОДИТЬ ВАМ?

▶ Ви стаєте поціновувачем нових сортів чи вас вабить класика Бордо? Ось дегустаційні тенденції найкращих винних рецензентів.

☐ **Роберт Паркер**
Любить багаті, насичені вина з відтінками ферми; зосереджується на Бордо, Каліфорнії, Австралії, Південній Америці.

☐ **Дженсіс Робінсон**
Класичні смаки; любить нюанси й витонченість; вина з усієї земної кулі й нові винні регіони; має журналістський погляд і нуль награності чи претензійності. Все завжди по суті.

☐ **Ерік Азімов**
Знавець, що полюбляє відхилятися від відомих маршрутів; шукає цінні доступні вина та «езотерику».

☐ **Антоніо Ґаллоні**
Віддає перевагу яскравим винам з високою кислотністю; любить Італію, Шампань і Каліфорнію.

☐ **Еліс Фейрінг**
Королева «натуральних» вин; їй подобаються грузинські квеврі та малі французькі винороби.

☐ **Wine Spectator**
Автори цього журналу люблять Каліфорнію, Бордо та іменіті виноробні; вони не розмінюються на дрібних виноробів-новаторів.

4

Вино
і
їжа

▶▶▶ Це звучатиме надто самовпевнено й точно не сподобається жодному із шеф-кухарів, але правильне вино може «підкреслити» чи зіпсувати вашу страву. Коли клієнт приходить до Le Bernardin і наполягає на замовленні пляшки вина, яке, на мою думку, не підійде до страви (мій дар переконання не завжди діє на тих, хто твердо налаштований з особливої нагоди замовити певний сорт червоного), гарантую, що він піде зі словами: «Атмосфера була чудовою, обслуговування – приємним, сомельє теж нормальний... але насправді нічого особливого». Як на мене, стопроцентного вау-ефекту бути й не могло, якщо вино не поєднується з їжею.

Та якщо ви обираєте вино, яке правильно взаємодіятиме зі стравою, їхні аромати поєднаються і одне посилюватиме інше. Наслідком будуть гармонія, насолода, справді дивовижний досвід. Гадаю, що довершене поєднання вина і страви схоже на ідеальний шлюб: жоден з партнерів не домінує, вони живуть у гармонії збалансованої взаємодії.

Їжа здатна підкреслити у вині найгірше: гострий чилі змусить алкоголь вибухнути і підвищить кислотність каліфорнійського Шардоне. Сирий жовток – укрити ваше піднебіння (і край вашого келиха) плівкою, зіпсувавши навіть найкраще шампанське – те з вин, що пасує до 98 відсотків страв. Але сухий чи напівсухий Рислінг стає неймовірним з більшістю страв тайської кухні, надзвичайно добре поєднуючись із її фруктовими / кисло-солодкими / гострими / кокосовими компонентами. Залізоподібна мінеральність Сен-Жозефа підкреслює середньо просмажений на грилі стейк, завдяки чому він здається ще соковитішим. І для мене немає нічого кращого, ніж морські гребінці з французьким Шардоне – вони фантастично доповнюють одне одного. Ви не зможете цього не вловити, скуштувавши. Коли я розробляю поєднання вин з новими стравами в Le Bernardin, кухарі дивляться на мене так, ніби я божевільний. Я заходжу на кухню з цілою тацею наповнених келихів. Ті, що з білим, – боком торкаються миски з льодом, щоб у спеку не втратити смаку. Я куштую те, що, на мою думку, пасуватиме до вина, але також експериментую зі смаками, які взагалі не мали б поєднуватися, наприклад, пиво з шоколадним десертом. Це найбільш захопливі відкриття.

Поєднати їжу й вино в ресторані набагато складніше, ніж визначитися, що відкоркувати в себе вдома. На роботі я зосереджуюся на відповідності вин вишуканим соусам, які створює шеф-кухар Ерік Ріперт, а не на приготуванні риби, що зазвичай відбувається у мене досить мінімалістично. Часом Ерік вигадує справжні чудасії, наприклад мариновані огірки по-перськи, від яких у мене паморочиться голова. Як і більшість людей, удома я схильний обмежуватися чимось нескладним: гриль, паста чи рагу. Жодних вишуканих соусів чи підлив. Це значно полегшує моє вживання вина поза роботою — і, сподіваюсь, не так відлякуватиме й вас.

Хоча вдома все, безумовно, інакше: я завжди шукатиму те, що підійде до моєї основної страви. Звичайно, якщо в мене паста з томатним соусом, я не питиму шампанське – я захочу к'янті! У нас з Еріком є кумедний епізод «Ідеальних поєднань» (Perfect Pairings) на YouTube, де він каже, що бордо пасує до будь-якої страви. Я з цим, звісно ж, не погоджуюся, бордо – хороший універсал, однак у цій справі набагато більше нюансів. На наступних сторінках я викладаю свої пропозиції декількох сценаріїв, відповідно до сорту, інгредієнтів, смаків та кухні. Не сприймайте це як Євангеліє – експериментуйте, щоб навчитися поєднувати. Сподіваюся, це допоможе вам обрати власний шлях.

ІМПОРТЕРІВ ВАРТО ЗНАТИ

▶ Перелік імпортерів, які імпонують мені в США:

☐ **Louis-Dressner** допомогли зародженню інтересу до «натурального» виноробства у США.

☐ **Kermit Lynch** давно став синонімом незалежних, традиційних французьких виноробів і вин «з душею».

☐ **Olé Imports** вишукані іспанські та португальські вина, які цілком можуть зацікавити й ширшу публіку.

☐ **Jose Pastor** ім'я Хосе Пастора на звороті пляшки обіцяє вам сміливе й незвичне гурманське вино з Іспанії.

☐ **Polaner** вишукане, претензійне навіть, портфоліо. Шикарнішого асортименту шампанських вин ви не знайдете ніде.

☐ **Rare Wine Co.** золота класика олдскульних вин.

☐ **European Cellars / Eric Solomon Selection** нішевий імпортер, дуже цікаві високомінеральні вина від малих європейських виноробів.

☐ **Terry Theise** Рислінги, шампанські, австрійські та німецькі вина, мають сантимент до вин із залишковим умістом цукру.

Як створити довершену пару

▼ **Загальні поради**

Відштовхнімось одразу від такого: пляшки досконалого напою, що пасуватиме до будь-якої домашньої трапези, насправді не існує. Те, що вам смакуватиме до салату, можливо, не вразить, коли ви їстимете стейк. А те, від чого цей ваш стейк заспіває, найімовірніше, буде жалюгідним караоке-дуетом до десерту.

Думка, що вина певної країни добре поєднуються з її кухнею, здається логічною, поки ви не зважите, що Італія налічує понад тисячу сортів винограду й набагато більше видів пасти. Тож якщо ви ще не поєднуєте страву з шампанським (а це – вино, що на сьогодні вважається найбільш дружнім до будь-якої їжі), або з Ґрюнер Вельтлінер, яке наздоганяє переможця в цьому списку, вам не залишається нічого іншого, як відкоркувати дві пляшки, або краще півтори, або просто... змиритися з недосконалістю. Хоча хрусткі, свіжі, чисті вина приємно пити з друзями, вони не завжди найкращий варіант за столом. Шукайте чогось із помірним алкоголем (від 12 до 13 %), збалансованою кислотністю і фруктовим ароматом. Якщо ви п'єте більше однієї пляшки, в ідеалі важливо, щоб вина нарощували потужність упродовж усього прийому їжі. Якщо почати з потужного, ароматного вина, після нього не варто переходити на щось делікатніше, майте це на увазі.

ПАСУВАТИМЕ ДО ВСЬОГО:

- ☑ Ґрюнер Вельтлінер
- ☑ Бордо (згідно з Еріком Ріпертом)
- ☑ Пляшка шампанського або ігристого
- ☑ К'янті Класіко
- ☑ Рислінг (сухий)
- ☑ Альбаріньйо

☐ Варто порушити такі правила:

Біле вино + риба

Для мене важливіше те, як саме приготовано рибу, щоб визначити, що до неї пити. Якщо вона відварена, дамо перевагу білому. Але якщо риба обсмажена або гриль, карамелізований смак буде справді добрим до червоного. Просто тримайтеся подалі від дубовіших сортів, як-от Каберне чи Неббіоло. Спробуйте Піно Нуар або трохи охолоджені бандольські з Провансу. Цей додатковий холод підкреслить свіжість і приглушить зайве як у страві, так і у вині.

Червоне вино + стейк

Чого б не скуштувати білого? Виберіть справді потужне з Рони, насичене Шардоне з Бургундії чи Напи або рожеве шампанське.

Червоне вино + сир

Спробуйте біле! (Див. сторінку 258.)

⬤ Як гарантувати найкращі поєднання в ресторані

▶ Якщо вам не пропонують поєднання до побокальних замовлень, попросіть сомельє підказати, з огляду на те, що ви їсте.

▶ Якщо, замовляючи, ви даєте перевагу пляшці, **скажіть сомельє, що ви збираєтеся їсти**, і попросіть дати вам кілька варіантів у вашому ціновому діапазоні.

▶ Якщо ви визначились, яку пляшку замовити, попросіть сомельє підказати, що до неї пасуватиме з їжі. Найімовірніше, він куштував кожен пункт меню та кожну пляшку в льоху, тож довіряйте йому.

ПЕРЕД ЇЖЕЮ...

Я шукаю чогось легкого, хрусткого, свіжого, більш цитрусового і м'яко-фруктового, – нічого надто ароматного – лише для того, щоб трохи очистити піднебіння і розпалити апетит (кислотність викликає в нас слиновиділення). Піно Ґріджіо може бути цікавим, як і Піно Блан, Альбаріньйо та Вінью Верде. Я знаю, що люди люблять починати їжу з Совіньйон Блану, але новозеландський сорт цього вина ароматний, з високим рівнем алкоголю – куди від нього рухатися далі? Знову ж таки, ризикуючи здатися нав'язливим, пораджу розглянути Ґрюнер та шампанське як напої перед початком їжі.

ІНШИЙ АЛКОГОЛЬ

(І так, ви можете без страху переключатися між ними й вином.)

○ Молочний шоколад + трапістський ель з Вестмаль
○ Севіче + саке
○ Бурбон + стейк
○ Сира риба + текіла бланко або мескаль

Якось я дав це покуштувати Джей-Зі та Бейонсе, і, слава Богу, їм сподобалось. Навіть дав їм ще пива додому — в такому захваті вони були

Вино, зустрічай вечерю

▶▶▶ Щовечора, близько п'ятої години, я отримую есемески від друзів, котрі запитують, яку пляшку краще відкоркувати до вечері. Свої улюблені вина я поділяю на кілька категорій – від сорту до продуктів та регіональної кухні. Звичайно, мої пропозиції ні до чого не зобов'язують і мають безліч нюансів, але ви можете взяти ці поєднання за певну вихідну точку, з якої слід починати свої відкриття.

ПІНО ҐРІДЖІО
Соло як аперитив
Простий салат
Смажені кальмари
Консервований тунець
Суші

РИСЛІНГ
Сира риба
Шинка
Салати з фруктів або
морепродуктів
Смажений рис

СОВІНЬЙОН БЛАН
Сира риба (Сансер)
Італійська кухня (Сансер)
Овочі (Нова Зеландія)
Рулет з омарів
(Нова Зеландія)

ҐРЮНЕР ВЕЛЬТЛІНЕР
Рибний салат
Гриль
Картопля фрі
Паста з сиром

ШАРДОНЕ
Курка
Омари
Тріска
Креветки
Овочі гриль

ПІНО НУАР
Птиця
Лосось
Тріска
Індичка

МЕРЛО
Курка
Свинина
Яловичина
Рагу
Ягнятина

КАБЕРНЕ СОВІНЬЙОН
Стейк
Ягнятина
Ковбаски гриль
Пармезан

ШИРАЗ
Стейк
Свинина
Картопля
Овочі гриль

СОРТОВІ ВИНА

М'ясо

СТЕЙК
Шираз / Сен Жозеф
Бордо
Менсія

ЯГНЯТИНА
Каберне Совіньйон
Піно Нуар (охолоджене)
Санджовезе

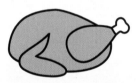

КУРКА
Піно Нуар
Ґаме
Червоні сицилійські
Шардоне (Каліфорнія)
Ґрюнер Вельтлінер
(зі смаженою куркою)

СВИНИНА
Мерло
Темпранільйо
Ґаме (до жирної свинини)
Рислінг (до шинки)
Божоле (до м'ясних закусок)

БУРГЕРИ
Божоле
Піно Нуар (Новий світ)

Паста

МАРИНАРА
Сицилійське червоне

М'ЯСНИЙ СОУС
Санджовезе

МОРЕПРОДУКТИ
Фріуліано

> Майте на увазі, соус також вплине на поєднання. Вітаю у світі сомельє!

ЗА СТРАВАМИ

Ідеальні пари

♥ КЛАСИЧНІ
Стейк: бордо
Паста з трюфелів: Бароло
Устриці: шампанське
Бургер: Піно Нуар
Омари: Каліфорнійське Шардоне
Рибне рагу: розе
Морський язик: Біле бургундське

❗ НЕСПОДІВАНІ
Піца: шампанське або американське Ґаме
Салат з папаї: сухий Рислінг (12,5% ABV і вище)
Тако: Альбаріньйо
Шоколад: трапістський ель
Блакитний сир: vin jaune

Море-продукти

ЛОСОСЬ
Піно Нуар
Совіньйон Блан
(Нова Зеландія)

МОРСЬКІ ГРЕБІНЦІ
Шенен Блан
Шардоне

ФОРЕЛЬ
Піно Ґріджіо
Сансерські вина

ТУНЕЦЬ
Неро д'Авола
(з тунцем на грилі)

КРЕВЕТКИ
Совіньйон Блан
Шардоне

СИРІ МОРЕПРОДУКТИ
Мюскаде
Шаблі
Санторіні
Шампанське / креман

Улюблені домашні поєднання Альдо

■ **Стейк + гриби гриль + червоне з Північної Рони**
Я люблю Корнас чи Кот-Роті. Якщо не хочу випендрюватися, п'ю Сен-Жозеф.

■ **Банх Мі + сухий Рислінг**
Рислінг досить ароматний, щоб його не заглушили м'ята і соління, а мінерали відчутно врівноважують жирну страву.

■ **Короткі реберця + витриманий Зинфандель**
Це те, чим я вечеряю на День подяки (терпіти не можу індичку).

На щастя, Зинфандель – це епічно (з відповідною їжею).

■ **Спагеті аль помодоро крудо + Фріулано**
Ідеально стиглі, свіжі помідори з часником та базиліком і склянка світло-червоного від Фріулі – це як маленька літня відпустка.

 НАЙКРАЩЕ
Сирий помідор: Спробуйте Совіньйон Блан з Австрії чи Фріулі.
Огірок: Вам підійде текстурне, виразне вино, як Піно Ґрі.
Чилі: Шукайте вина із залишковим цукром, наприклад, Рислінги.

Яйце: кислотність шампанського приглушує виразний яєчний смак, а солодкавість перекриє нав'язливість жовтка.
Зелений болгарський перець: новозеландський Совіньйон Блан може спрацювати з ним, як і багатший Пуї-Фюме.

ЗА СТРАВАМИ

СВІЖІ / ТРАВ'ЯНІ
Альбаріньйо
Дійсно сухі рислінги (12,5 %
ABV і вище)
Легкі різновиди Совіньйон
Блан (нижче 12,5 % ABV)

ДЕРЕВНІ / ТРАВ'ЯНІ
Думайте про червоне:
Червоні з Провансу / Бандолі
Витримані
з Ріохи / Санджовезе

ПРЯНІ
Рислінг із залишковим
цукром (нижче 11 %)
Напівсухі вина Шенен Блан
Просекко

ЗА СМАКОМ

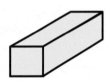

МАСЛЯНІ / КРЕМОВІ
Шампанське
Просекко
Шардоне

ЖИРНІ / ВАЖКІ
Ельзаський рислінг
Шираз (Північна Рона)
Зинфандель

ДИМНІ
Рібера-дель-Дуеро
Вина Ріохи
Мальбек
Каберне з Долини Напа

ДИВНІ / ФЕРМЕНТОВАНІ
Зинфандель
Ґарнача
Кот-дю-Рон (червоне)

СИРНІ
Ігристі вина
Санджовезе
Ґаме

ЗЕМЛЯНІ / ГРИБНІ
Витримані
(червоні й білі)
Шираз
Мурведр
Різерва з Ріохи

ГІРКІ
Совіньйон Блан
Піно Блан
Насиченіші Піно Ґрі

**ЧАСНИКОВІ
(СИРОГО ЧАСНИКУ)**
Совіньйон Блан
Віоньє
Санджовезе
Темпранільйо
Шардоне (Новий світ)
Верментіно (варений часник)

КИСЛО-СОЛОДКІ
Рислінг
Ґевюрцтрамінер
Просекко

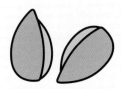

ГОРІХОВІ
Ґрюнер Вельтлінер
Альбаріньйо
Совіньйон Блан

КОКОСОВІ
Рислінг
Просекко
Напівсухий Шенен Блан

ЛИМОННІ / ТЕРПКІ / КИСЛІ
Совіньйон Блан
Кава
Віоньє

**ОКЕАНСЬКІ / МОРСЬКІ
ВОДОРОСТІ**
Рислінг
Ґрюнер Вельтлінер
Розе

СОЛОНІ
Рислінг
Піно Ґрі
Саке!

РОЗСІЛЬНІ
Совіньйон Блан
Альбаріньйо
Верментіно

ЗА СМАКОМ

ТАЙСЬКА
Рислінг
(напівсухе, близько 11% ABV)
Ґрюнер Вельтлінер
Піно Нуар (охолоджене)
до термічно оброблених страв

В'ЄТНАМСЬКА
Шампанське
Рислінг (напівсухе)
Піно Нуар (охолоджене)

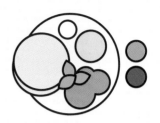

ІНДІЙСЬКА
Рислінг
Шираз
Мерло

КИТАЙСЬКА
Піно Нуар
Ігристі (дімсам)
Шардоне (дімсам)
Совіньйон Блан із Каліфорнії
або Нової Зеландії
Рислінг (напівсухе,
із сичуанською кухнею)

ЯПОНСЬКА
Ґрюнер Вельтлінер
Рислінг
Сансерські вина

КОРЕЙСЬКА
Шенен Блан
Каберне Совіньйон
Шираз

ФРАНЦУЗЬКА
Каберне Совіньйон
Піно Нуар
Ельзаське Піно Ґрі
Шираз

СЕРЕДЗЕМНОМОРСЬКА
Піно Ґріджіо
Верментіно

ІТАЛІЙСЬКА
Класичне к'янті
Дольчетто
Червоне сицилійське
Ламбруско
Ігристе рожеве

ЗА КУХНЕЮ

МЕКСИКАНСЬКА
Пиво
Совіньйон Блан
(Нова Зеландія)
Розе
Мішн (Паїс)

КАРИБСЬКА
Пиво
Кава

ПІВДЕННОАМЕРИКАНСЬКА
Шардоне
Шенен Блан

ІСПАНСЬКА
Вина з Ріохи
Шираз
Менсія

ПЕРСЬКА
Вина з Ріохи
Витримані п'ємонтські /
Старі шампанські

СКАНДИНАВСЬКА
«Натуральне» вино!
Ґрюнер Вельтлінер!

СХІДНОЄВРОПЕЙСЬКА
Витриманий Рислінг
Блуфранкіш

АРГЕНТИНСЬКА
Мальбек (зі стейком)
Каберне Совіньйон

**ВАЖЛИВА
ПРИМІТКА**
Неможливо звузити до кількох узагальнень національні кухні з їхнім розмаїттям смаків і страв. Кухня – досить широкий вихідний пункт, тому, щоб бути конкретнішим, поговоріть зі своїм офіціантом або сомельє про страви, які ви замовили.

ЗА КУНЕЮ

На похвалу білого вина до сиру

▶▶▶ Схоже, стало правилом подавати з сиром червоне вино. Я хочу сказати, що близько 75 відсотків сирів найкраще підходять до білого вина. Отак!

Виявляється, таніни в червоному вині починають боротися з кислотами й білками, часто на шкоду тим і тим. (Ви коли-небудь куштували червоне вино з блакитним сиром? Це все одно, що набрати в рот аміаку.) Білі ж вина, навпаки, переважно пропонують більше гнучкості

із залишковим цукром, фруктами та кислотою. Вони мають свіжість і трохи цукру, щоб відтінити вершковість, без поганих наслідків.

Говорячи про свіжість, поділюся маленьким секретом: якщо ви намагаєтесь позбутися білого, що на смак трохи перетримане, подавайте його з сиром. Окисні аромати чудово поєднуються із сиром. Ось кілька моїх улюблених поєднань з білим і червоним.

КОЗЯЧИЙ СИР
Сансерські вина
Совіньйон Блан

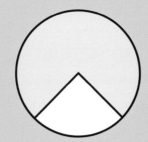

БРІ/КАМАМБЕР
Шампанське
Кальвадос

КОМТЕ/ШВЕЙЦАРСЬКИЙ
Молоде з Юра
Піно Нуар

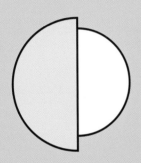

ЕПУАС
Витримане бургундське
Корнас

ЧЕДЕР
Бордо
Олоросо Шеррі

МЮНСТЕР
Ґевюрцтрамінер
Ельзаський Піно Ґрі

МОЦАРЕЛА/ БУРРАТА
Піно Ґріджіо
Ґрюнер Вельтлінер
Легкий Совіньйон Блан
з долини Луари

ПАРМЕЗАН
Барбера
Санджовезе

ПЕКОРІНО
Червоне сицилійське
Тосканське червоне

ПОЄДНАННЯ З СИРАМИ

Наука вино-робства

▶▶▶ Поїздка до Аргентини у 2008 році з журналом Wine Spectator повністю змінила моє життя. Журнал замовив матеріал про місцеве вино з погляду сомельє. Сільська місцевість так мене надихнула, що я сам захотів виготовляти там вино. Може, Мальбек, а може, я спробував би посадити австрійський Ґрюнер Вельтлінер у прохолодній Патагонії? Та зрештою, Аргентина здалася мені надто ризикованою для інвестицій. Австрійський винороб підказав, що в Австрії можна виготовляти вино за ті ж гроші, і там політично стабільніше. Невдовзі я вечеряв у Ґерхарда Крахера з легендарної австрійської династії виноробів. Коли я поділився своєю божевільною ідеєю, він озвучив ще несподіванішу: «Чому б нам не робити вино разом?»

Ґерхард, відомий десертними винами, хотів спробувати щось нове. Ми погодились, що не хочемо виробляти «масивних», міцних вин. Ми хотіли чогось свіжішого, вирощеного на вапняковому ґрунті. Врешті нам вдалося взяти в оренду трохи менше гектара, засадженого п'ятдесятьма старими лозами Ґрюнера. Шляхом численних спроб і помилок, Ґерхард зміг домовитися з виноградарем про всі нюанси вирощування.

Я зрозумів, як мало знайомий з виноградарством. Наприклад, південне розміщення лози означало, що в серпні рослини потерпатимуть від сонця, тож потрібно більше листя для захисту винограду. Після збору врожаю стало ясно, як багато мені ще потрібно навчитися, щоб порядкувати в погребі.

Я відвідував безліч виноробних заводів і збирав виноград з такими видатними людьми, як Жан-Марк Руло в Бургундії, та не мав досвіду виготовлення вина. Окрім того, під час публічних заходів усі тримають найвищу планку. А тепер я нарешті мав досвід хиб і виправлення.

Наприклад, я мав незвичні для Австрії виноробні ідеї: скажімо, продовжити витримку ще на рік, не відфільтровуючи осад (ідею я запозичив в ельзаського винороба Олів'є Гумбрехта). У Le Bernardin я працював з такою кількістю бургундського, що сподівався зробити щось на зразок кисліших вин цього регіону. Вина бургундського стилю в Австрії? Чому ні?

Коли була випущена перша з 1800 пляшок, я влаштував велику вечірку у винному барі Terroir у Нью-Йорку. Я відкоркував першу пляшку з ящика, відправленого Ґерхардом, налив склянку, поки всі плескали в долоні, і... вино виявилося мутним, що в моєму уявленні було серйозною вадою. Моє серце стиснуло. У животі похололо. Усі казали: «Яке незвичне вино!» Тож я відкоркував ще одну пляшку. І ще одну. Вся партія була каламутною. (На щастя, смакувало воно чудово. Але я був надто засмучений, щоб це помітити.)

Я зателефонував Ґерхарду й почув від нього, що вино на виноробні було абсолютно прозорим. Вирушивши через кілька місяців до нього, я взяв вино з собою в літак, щоб він сам побачив, що сталося при перевезенні, й порівняв. То були небо і земля! (Далі ми сперечалися про рафінування – я хотів спробувати, особливо після настанов Жана-Марка Руло; а Ґерхард сказав «через мій труп» – і почав чаклувати, додаючи невелику кількість бентоніту, щоб зв'язати білки, які каламутили вино.) Я так глибоко дослідив рафіновані вина, що тепер можу вирізнити їх на смак.

Інші експерименти, як-от додавання сульфітів і навіть випробування порошку таніну, для увиразнення смаку, також загострили мій «нюх» на ці домішки, це дуже допомагає відбирати вина для бару та ресторану. А дегустація на кожному етапі бродіння завдяки Ґерхардові, який надсилає мені флакони наших вин щокілька тижнів, допомогла мені по-справжньому збагнути еволюцію вина, не кажучи вже про магію виноробства.

Наші вина відразу здобули високі оцінки, навіть від зіркової Дженсіс Робінсон. Відтоді ми взяли в оренду ще й навколишні виноградники, випускаємо понад двадцять тисяч пляшок на рік під чотирма марками й експортуємо навіть до Китаю. Кожен рік приносить нові виклики – то екстремальна погода, то низький урожай. Я, безумовно, навчився смирення перед природою, насамперед, коли мені довелося вилити 300-літрове барило вина, в якому зупинилося бродіння, тобто дріжджі перестали взаємодіяти з цукром, від чого вино стало нестерпно солодким.

Тепер, коли я чую, як сомельє обговорюють переваги спонтанного бродіння з використанням природних дріжджів над культивованими, я дивлюся на це по-новому. (Як саме? Раджу їм піти зняти в банкоматі кілька тисяч доларів і вкинути в каналізацію.) А проте ми й досі застосовуємо спонтанне бродіння.

Відзначаючи десятирічний ювілей, ми з Ґерхардом покуштували всі наші вина від найпершого врожаю. Я збагнув, скільки в нас було чудових вінтажів: п'ять із десяти! І це з урахуванням згубного впливу морозів, градів, штормів та глобальних кліматичних змін, – за всім цим я пильно стежу, відколи почав робити вино. Ми з Ґерхардом постійно експериментуємо, щоб удосконалюватись і розвиватися.

Смирення, знання, задоволення і захват – лише частина з того, що мені дає виноробство. Завдяки ньому я став кращим сомельє і, безумовно, значно вдячнішим споживачем алкоголю. Смирення, знання, задоволення і захват завжди лежали в основі моєї любові до вина. Я сподіваюся, що ця книжка стане кроком і на вашому шляху до них.

261

глосарій

ABV – скорочення «за вмістом / об'ємом алкоголю», відсоток якого зазначено на етикетці. Майте на увазі, що це в середньому 13 % (через зміни клімату цифра зросла з 12 % у 80-ті), показник понад 15 % вважають високим.

AVA (American Viticultural Area) – згідно із системою ЗНП (апеласьйон), окремий виноградарський район у США. Вказує на федерально визначений виноробний регіон.

MW (МАЙСТЕР ВИНА) – абревіатура для «майстра вина»; високо цінована кваліфікація, що її присвоює Британський інститут майстрів вина (British Institute of Masters of Wine).

PÉTILLANT (НАПІВІГРИСТЕ, ШИПУЧЕ) – зазвичай не перекладений термін: злегка ігристе вино.

PÉT-NAT – скорочене від petillant naturel: техніка виноробства (характерна для «натуральних» вин, що виробляють з мінімальним втручанням, неконвенційного виноробства), яка уможливлює легку шипучість.

АМФОРИ – використовувані з часів Стародавнього Риму великі глиняні посудини (глеки), які часто наповнюють подрібненим зі шкіркою виноградом і закопують у землю, закорковуючи для витримки.

АПЕЛАСЬЙОН – офіційний термін: захищене найменування за походженням (скорочено – ЗНП). Вказує на місце, де вирощують виноград. У Франції цей термін відомий як AOC або AOP. Може також диктувати стиль вина.

АРОМАТИЧНІ СПОЛУКИ – буквально «те, що ти відчуваєш як запах». Це вимірювані газовим хроматографом хімічні сполуки, які виділяються в міру випаровування спирту.

БАГАТЕ – дегустаційний термін щодо вина, яке має масивний смак. Багато фруктів, багато спецій і трохи залишкового цукру дають відчуття повноти.

БАК (ЦИСТЕРНА) – контейнер, ємність для бродіння з іржостійкої сталі; також може бути з пластику. Не додає і не змінює смак вина.

БАЛАНС – ознака вина, у якому солодкість, кислотність, таніни, алкоголь і текстура перебувають у рівновазі.

БОТРІТІС – грибок, що може вражати виноград, концентруючи вміст цукру, а також надавати сухим винам медового аромату. Інша назва – «благородна цвіль / пліснява».

БОЧКА – традиційна ємність для витримки; зазвичай виготовляють з дуба, що не тільки підкреслює фруктовість і додає ванільного присмаку, а й створює трохи повнішу текстуру, адже вино там може контактувати з повітрям. Вина, витримані в цистернах з іржостійкої сталі, часто бувають трохи тугішими, бо формуються без доступу кисню.

БРЕТТ – скорочення від Brettanomyces: вид дріжджів (відмінний від традиційно винних – частіше використовуваний на виробництві пива, ніж вина), що надають червоним винам аромату, подібного до запаху кінської збруї, старого сідла і ферми – частоживана характеристика «натуральних» вин.

В'ЯЛІСТЬ – дегустаційний термін щодо вина, якому не вистачає кислотності.

ВИРОБНИК, буквально «той, що вирощує» – термін належить до класифікації бордоських вин. По суті, означає «готуйся вивернути гаманця».

ВИТОНЧЕНЕ (ТОНКЕ) – дегустаційний термін щодо вина, яке має сюжет: елегантне, багатошарове, з інтригою, захопливе. Некрикливе. Думайте про це, як про класику проти хіп-хопу.

ВИТРИМАНЕ В ДУБІ – вино, витримане в бочках більшого чи меншого ступеня «обсмаженості». Жорсткі виноградні таніни взаємодіють із м'якими танінами бочки, даючи насичений ванільний смак і вершкове, маслянисте відчуття в роті.

ВНЕСЕНІ / КУЛЬТУРНІ ДРІЖДЖІ (ЧКД) – комерційні дріжджі, використовувані у виноробстві.

ҐРАН КРЮ – захищена виноробна зона для якісних вин. Прем'єр крю – це рейтинг, нижчий за ґран крю.

ДЕКЛАСИФІКОВАНИЙ – про ряди виноградників, що їх опускають на нижчий ступінь класифікації у зв'язку з пересадженням лоз чи роком з невдалим урожаєм.

ДЖЕМОВИЙ – дегустаційний термін щодо вина з концентрованою фруктовістю і багатою текстурою.

ДИКІ (ВЛАСНІ) ДРІЖДЖІ – наявні в природі дріжджі, які формуються в зовнішньому середовищі, на виноградній шкірці або в повітрі.

ДОЗАЖ – суміш резервного вина з цукровим сиропом. Використовують для компенсації втрат після видалення осаду, а також доливу пляшки ігристого вина, виготовленого за класичною технологією.

ДРУГА ФЕРМЕНТАЦІЯ – буквально: коли вино ферментується вдруге.

ЕЛАСТИЧНІСТЬ (ПРУЖНІСТЬ) – дегустаційний термін щодо вина, кислоти й таніни якого гармонійно збалансовані.

ЖУВАЛЬНІСТЬ – дегустаційний термін щодо вина, таніни якого більше пружні, ніж шершаві.

ЗАКРИТІСТЬ – дегустаційний термін щодо концентрованого на смак, але з важко диференційованим ароматом вина, що свідчить про його поступове «відкривання» з часом.

ЗАЛИШКОВИЙ ЦУКОР RS – виноградний цукор, що залишився у вині після зупинення бродіння і не перетворився на спирт. Може коливатися від 0 грамів на літр («бон драй», абсолютно сухе) до 220 грамів на літр (дуже солодке).

ЗБИТЕ (ЗАРЯДЖЕНЕ) – дегустаційний термін щодо вина, яке має помітні, але не агресивні таніни.

КВЕВРІ – глиняні глеки, якими тисячоліттями користуються виноби Грузії.

КОНТАКТ ЗІ ШКІРКОЮ (часто – **SKIN CONTACT**) – коли виноградне сусло залишається в контакті з виноградними шкірками під час мацерації чи бродіння, додаючи кольору та смаку.

КОРОК (КОРКОВА ХВОРОБА) – дегустаційний термін щодо вина із запахом запліснявілого підвалу, мокрого картону чи трухлявого дерева.

«КОРОНА» (ПИВНА КРИШЕЧКА) – тип рифленої кришечки, яку ви бачите на пляшках пива і газованої води.

КРЮ – французький термін; виноградник, визнаний за виняткову якість на основі класифікації, що датується 1800-ми роками.

КЮВЕ – партія вина або окремий його купаж.

МАДЕРИЗАЦІЯ – про біле вино, яке занадто довго зазнавало дії кисню і / або тепла. Його коричнево-жовтий колір та карамельний смак нагадують солодке португальське вино Мадера з однойменного острова.

МАЦЕРАЦІЯ – процес, за якого екстрагується колір з виноградних шкірок. Можливе також отримання танінів і вищого рівня цукру.

МЕРКАПТАН – група летких сполук, що спричиняють запах тухлих яєць.

МИШАЧИЙ ТОН – дегустаційний термін, що описує вино, яке пахне… ну як мишаче хутро. (Вибачте, але це запах, знайомий будь-кому, хто в дитинстві мав мишку як хатню тваринку.)

МІНЕРАЛЬНІСТЬ – дегустаційний термін щодо ароматичних речовин, які надають вину відтінків сланцю, крейди, мокрого каменю або гравію. У вині немає мікроелементів зазначених матеріалів – вважають, що на ці аромати впливає теруар.

НАПІВСУХЕ – дегустаційний термін щодо вина з низьким умістом цукру – від 17 до 35 грамів залишкового цукру на літр для ігристого вина або понад 9 грамів для тихих вин.

НЕГОЦІАНТИ – винороби, які купують виноград з різних виноградників і використовують його для виробництва власного вина.

НЕПРИЧЕСАНЕ (КОСТРУБАТЕ) – дегустаційний термін для злегка «кусючого»,

недружелюбного (з огляду на трохи підвищену кислотність і таніни, а іноді й мінеральність) вина. Протилежність округлому вину.

ОВОЧЕВЕ (ЗЕЛЕНУВАТЕ) – дегустаційний термін щодо вина, якому притаманні овочеві тони, найчастіше зелених сортів, наприклад, зеленого болгарського перцю.

ОКИСЛЕНЕ (ОКСИДОВАНЕ) – вино, у яке потрапило занадто багато повітря, що призведе до втрати свіжості та фруктовості. Це може статися, якщо залишити його в пляшці чи бокалі на ніч або й на кілька годин, або ж з плином часу через нещільний корок чи пляшку, яка занадто довго зберігалася у вертикальному положенні.

ОКЛЕЮВАЛЬНІ АГЕНТИ (РЕЧОВИНИ-ОСВІТЛЮВАЧІ) – елементи, що їх додають у вино для видалення будь-яких слідів білків або осаду і які можуть зробити його каламутним. Використовують бентонітову глину, яєчні білки та казеїн.

ОКРУГЛІСТЬ – дегустаційний термін щодо згладжених, але не надто м'яких танінів вина.

ОСАД – осад мертвих дріжджових клітин, які випали на дно бродильної посудини або пляшки.

РЕДУКЦІЯ – дегустаційний термін щодо вин, які не мали достатнього доступу кисню під час бродіння. Результат – нотки, відтінки білокачанної капусти та білого кунжуту.

РОТ – термін дегустації для опису текстури або ваги вина.

СЛЬОЗИ – краплі, які повільно стікають назад склом після нахилу або прокручування келиха. Що повільніші сльози (або «ніжки»), то нижчий рівень алкоголю. Ці краї крапель гострі чи, може, стікають широкими кривими або ж вужчими? Якщо дійсно гострі – ABV буде вищим – перевірте на горілці / віскі.

СМАК (РОТ) – термін стосується особистих дегустаційних здібностей і вподобань дегустатора. У вужчому значенні позначає чутливі до смаків зони язика.

СОРТОВЕ (МОНОСОРТ) – вина, виготовлені з одного сорту винограду.

СТРУНКЕ (ВИСТРУНЧЕНЕ) – вино з енергійною та чіткою структурою, усі смакові нюанси якого ніби послідовно витягнулися на одній прямій.

СУВОРЕ (АСКЕТИЧНЕ) – дегустаційний термін щодо тугого, висококислотного, з нефруктовим ароматом вина, яке не має залишкового цукру і чия структура свідчить про потребу витримки. Зробивши ковток, ви відчуваєте, ніби намагаєтесь їсти пісок!

СУЛЬФІТИ – діоксид сірки (SO_2); також згадується як сірка. Консервант, який або додають у вино під час виноробства (зазвичай безпосередньо перед розливом у пляшки), або обробляють ним виноград перед бродінням. Крім вина, додаються до кураги, щоб зберегти її м'якість. Сульфіти природно наявні в таких продуктах, як яблука та спаржа.

СУПЕРДЕГУСТАТОР – людина з надчутливими смаковими рецепторами, що їх мають від 10 до 25 відсотків населення. Цікавий факт: серед жінок супердегустаторів більше, ніж серед чоловіків, ось чому я наймаю стільки жінок-сомельє!

СУСЛО – щойно відтиснутий виноградний сік.

СУХЕ – дегустаційний термін щодо вина з дуже низьким умістом цукру – від 1 до 10 грамів залишкового цукру на літр.

ТАНІНИ – хімічні сполуки, наявні у виноградних шкірках і кісточках. Надають червоному вину більшої комплексності та придатності до витримки. Це також те, що може пересушити рот або дати відчуття шершавості, як занадто міцний чай.

ТАНІННІСТЬ (ТЕРПКІСТЬ) – дегустаційний термін щодо вина, яке висушує язик і щоки. Танінні вина часто чудово підходять до

насиченої жирної їжі, допомагаючи очистити рецептори.

ТЕРУАР – французький термін, що стосується того, як ґрунт, клімат і рельєф виноградника відображаються у смаку вина.

ТИПОВІСТЬ – характер вина, типовий для його стилю чи регіону.

ФЕНОЛЬНІ СПОЛУКИ – кілька сотень знайдених у вині хімічних сполук, які впливають на все – від кольору до смаку й текстури, яку ви відчуваєте під час ковтка.

ФЕРМА (СКОТНИЙ ДВІР, КОРІВНИК) – дегустаційний термін для позначення наявності тваринних (анімалістичних) ароматів. По-іншому можна сказати, що в букеті вина відчутні відтінки перегною, непастеризованого молока, мокрої шерсті.

ХРУСТКЕ (ПОТРІСКУЮЧЕ) – дегустаційний термін щодо приємно освіжних кислотних вин. Здебільшого вживаний до білих, рожевих вин і шампанського.

ЧАН – традиційна посудина для витримки; зазвичай з деревини або іржостійкої сталі, що впливає на смакові якості. Може бути місткістю (об'ємом) від 100 до 10 000 літрів.

ЧІПКИЙ ТАНІН – дегустаційний термін щодо вина з танінами, які ніби склеюють рота.

ШЕРШАВІСТЬ (ШОРСТКІСТЬ, СУХИЙ ТАНІН) – дегустаційний термін на позначення відчуття сухості, певної стягнутості, викликане танінами, які в'яжуть білок на вашому язику.

ЯЙЦЕ – посудина для бродіння й витримки, виготовлена, зокрема, з бетону чи глини. Може надавати вину сидрових чи подібних до комбучі якостей та підвищувати вміст летких кислот.

ПОДЯКИ

**Я ніколи не планував писати книжку,
а проте ось вона!**

▶▶▶ Я глибоко вдячний Ерікові Ріперту і його «ангелам», Кеті Шері та Челсі Рено, за те, що вони спрямували мене на цей шлях. Але бути щасливчиком нелегко – багато роботи лишається поза лаштунками. Особлива подяка Кімберлі Візерспун та її команді за подолання труднощів на початку і велику терплячість у процесі співпраці.

Крістін Мюльке: без тебе ця книжка була б дивним поєднанням німецької з англійською, пересипаним безліччю альдо-їзмів. Я писав її у вихідні, під час вікендів, на ранкових зустрічах у Aldo Sohm Wine Bar та у твоїй квартирі. Хоча я досі вважаю шаленством мчати Нью-Йорком на велосипеді на Шосту авеню, щоб зустрічатися зі мною щоп'ятниці зранку. Визнаю, твої круасани були смачніші за мої! Я скучатиму за цими ранковими зустрічами, не кажучи вже про довгі години роботи у FaceTime. Дякую за твій талант і вміння зробити так, щоб ця книжка зазвучала по-моєму.

Команді ресторану, яку очолюють Бен Чекроун і Томі Джелалія: ви, хлопці, щодня викликаєте в мене усмішку, і я відчуваю, що ми брати, хоча й діти різних матерів. Подяка також команді кухні на чолі з Крісом Мюллером та Еріком Ґестелем, а ще Кріс Салліван у винному барі.

Найкращому босові, з яким я будь-коли працював: Маґі Ле Коз. Завдяки вашим високим стандартам, було створено просто чарівне місце для роботи, і я не уявляю кращої платформи для нових прагнень і звершень. Вдячний за довіру до мене й за те, що в офісі завжди були чистота й порядок!

Дякую Сьюзен Каміл із Random House за те, що роками підштовхувала мене до написання книжки. Те, як ви це робили, багато важило й додало мені необхідної впевненості.

Дженніфер Сіт із Clarkson Potter за те, що вклали все своє серце і пристрасть (а ще неймовірні навички редагування) у цей проєкт, і за те, що скерували мене в правильному напрямку.

Дизайнерці Елейні Салліван за те, що запропонувала зробити і зробила цю книжку надзвичайно приємною для очей. Решті команди Potter – Мії Джонсон, Террі Ділу, Андреа Портанова, Гізер Вільямсон і Девідові Гоку – за їхні таланти та появу цієї книжки.

Сарі Томас – за вашу пристрасть, талант і постійне перебування поруч, коли ви були мені потрібні. Дякую за те, що виправляли мої пости в соціальних мережах, додавали смаку певним предметам розмови і позичили мені дрібку вашого мислення, щоб поглянути на деякі питання крізь іншу оптику.

Моїм чудовим командам сомельє в Le Bernardin і Aldo Sohm Wine Bar, де пристрасно ведуть справи Катя Шарнаґл та Андре Компейр: своїм успіхом я завдячую вам! Ґілі Локвуд і Марі Вейрон (я й досі вважаю вас членами команди): дякую за коректуру і ваш внесок.

Моїй команді у барі: я люблю дегустувати і обговорювати нові коктейлі!

«Піддослідним кроликам» Алі Слаґлу, Шарлотті Вудрафф Ґодду та Нао Мізуно за те, що поділилися своїми думками під час нашої вечері у SriPraPhai і дозволили вчитись у вас.

Ґерхарду Крахеру, моєму партнерові у проєкті Sohm & Kracher, та його дружині Івонн — за вашу глибоку дружбу, підтримку і створення цього дивовижного проєкту. З вами я так багато дізнався!

Йозефу Карнеру і Мартіну Гінтерлейтнеру із Zalto Glass: яка дивовижна подорож у нас вийшла. Дякую за подальшу підтримку!

Моїм раннім наставникам: Вольфґанґу Хаґштайнеру, Отмарові Пфайфферу та професорці Інґрід Нахтманн з Туристичної школи в Сент-Йоганні (Тіроль): я був складним студентом, але дякую за те, що настановили мене на цей шлях.

Аду Вернеру та Гельмутові Йорґу, які розпалили в мені пристрасть до роботи сомельє: дякую, що дозволили відвідувати дегустації протягом моїх вільних годин, а потім завжди виправляли мої дегустаційні нотатки.

Норберту Вальдніґу, моєму наставнику в школі сомельє та тренеру на змаганнях сомельє: я пригадую, як казав «Нізащо!», але дякую, що підштовхнули мене, а також за нашу дружбу!

Томові Енгельгарду та Віллі Баланжуку за те, що були найкращими дегустаційними тренерами.

Ендрю Беллу з Американської асоціації сомельє за теплий прийом у США і те, що допомогли мені розправити крила. ДЯКУЮ!

Докторові Стівені Шраму, докторові Патріку Мізраґі та Міхаелі Анґерер за те, що постійно стежили за моїм здоров'ям та психічним станом, і за моє невпинне просування вперед. Ви батьки мого успіху, які невтомно працюють у фоновому режимі.

Великим друзям та клієнтам Le Bernardin, від яких у своїй щоденній роботі в ресторані я маю стільки радості.

Моїм друзям-сомельє з Нью-Йорка, США і в усьому світі, які надихають мене і спонукають постійно ставати кращим.

Виноробам, які поділилися своїм досвідом.

Жану-Марку Руло за те, що був таким чудовим наставником. Усім імпортерам і дистриб'юторам вина, з якими я маю стосунки, — завдяки вам я щодня вчуся.

Усім журналістам і пресі дякую за те, що повірили мені і спрямували в кар'єрі. Боббі Стюкі, Раджатові Парру, Паскалін Лепельтьє та Алісі Фейрінг: вдячний, що знайшли час поговорити про «натуральне» вино. Це відкрило мені очі, і я багато чого навчився від вас. Дякую за вашу дружбу.

Моїм великим друзям Альдо Діасу та Мюррею Гарді: спасибі, що допомогли мені віднайти пристрасть до велосипеда. Альдо, дякую, що знаєш лише одну швидкість: повний уперед! Мюррею, я ніколи не бачив, щоб за такий короткий період хтось так захопився вином. #trainwithchampane може не спрацювати; #trainforchampagne точно дає плоди!

Моєму батькові Йозефу і матері Росвіті за те, що спрямували мене куди слід, щоб я прийняв визначальні для свого професійного шляху рішення. Моєму братові Іво, зведеним сестрам Тіні і Йоані та моїй австрійській родині за всі мої теплі дитячі спогади.

І-Марґіт Сом. У нас така довга історія, що навіть не знаю, з чого почати. Ти бачила старт і всі страждання в роки змагань. Дякую від щирого серця. Без тебе нічого б не було можливо.

Моїй партнерці Катрін Роман, яка терпляче тримається поруч і з безумовною любов'ю підтримує всі мої проєкти. Я вічно зайнятий, але страшенно люблю, як ти врівноважуєш моє життя, стежачи, щоб я не закидав велопрогулянки й висипався. Коли ми готуємо і випиваємо разом пляшку доброго вина, ніщо не дає мені більшого щастя, аніж коли ти стріпуєш хвостиком і кажеш: «O, que rico!» (Як смачно!) ♥